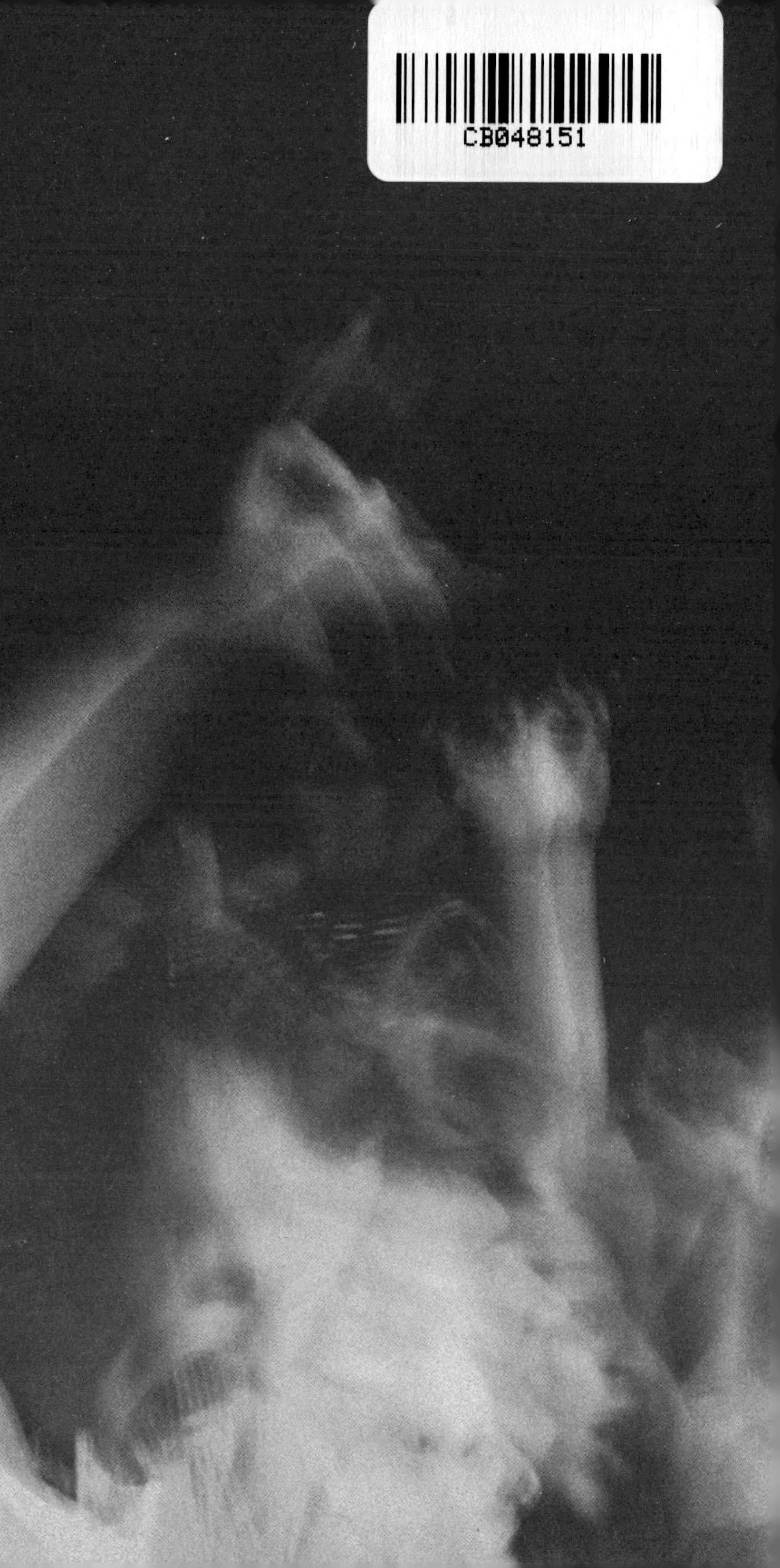

o ano em que sonhamos perigosamente

Griszka Niewiadomski

Slavoj Žižek

o ano em que sonhamos perigosamente

Tradução: Rogério Bettoni

Traduzido do original em inglês *The Year of Dreaming Dangerously*

Coordenação editorial
Ivana Jinkings

Editora-adjunta
Bibiana Leme

Assistência editorial
Livia Campos e Pedro Carvalho

Tradução
Rogério Bettoni

Preparação
Mariana Echalar

Capa e guardas
Rubens Amatto
sobre foto de Griszka Niewiadomski
Na segunda orelha, foto do autor durante manifestação
em Nova York, em 2011, usando a camiseta da Boitempo.

Diagramação
Antonio Kehl

Produção
Adriana Zerbinati

CIP-BRASIL. CATALOGAÇÃO-NA-FONTE
SINDICATO NACIONAL DOS EDITORES DE LIVROS, RJ

Z72a
Žižek, Slavoj
O ano em que sonhamos perigosamente / Slavoj Zizek ; tradução Rogério Bettoni. - 1.ed. - São Paulo : Boitempo, 2012.
Tradução de: The year of dreaming dangerously
ISBN 978-85-7559-290-8

1. Movimentos sociais - História - Século XXI 2. Conflito social - História - Século XXI 3. Mudança social 4. Participação política I. Título.

12-6668. CDD: 303.4
CDU: 316.42
13.09.12 26.09.12 039063

Este livro atende às normas do acordo ortográfico em vigor desde janeiro de 2009.

1ª edição: outubro de 2012; 1ª reimpressão: março de 2014

BOITEMPO EDITORIAL
Jinkings Editores Associados Ltda.
Rua Pereira Leite, 373
CEP: 05442-000 São Paulo-SP
Tel./fax: (11) 3875-7250 / 3872-6869
editor@boitempoeditorial.com.br
www.boitempoeditorial.com.br | www.boitempoeditorial.wordpress.com
www.facebook.com/boitempo | www.twitter.com/editoraboitempo
www.youtube.com/user/imprensaboitempo

Sumário

Nota da edição

Esta tradução tem por base o texto original enviado diretamente pelo autor à Boitempo, o qual contém algumas diferenças e acréscimos em relação àquele publicado em inglês pela Verso Books também em 2012, *The Year of Dreaming Dangerously*.

Introdução
War nam nihadan

A língua persa tem uma ótima expressão, *war nam nihadan*, que quer dizer "matar uma pessoa, enterrar o corpo e plantar flores sobre a cova para escondê-la"[1]. Em 2011, nós testemunhamos (e participamos de) uma série de eventos destruidores, da Primavera Árabe ao movimento Occupy Wall Street, dos protestos nos subúrbios do Reino Unido à loucura ideológica de Breivik. Desse modo, 2011 foi o ano em que sonhamos perigosamente em duas direções: houve sonhos de emancipação, que mobilizaram manifestantes em Nova York, na praça Tahir, em Londres e Atenas, e houve sonhos destrutivos e obscuros, que serviram de impulso para Breivik e para os populistas racistas de toda a Europa, da Holanda à Hungria. A tarefa primeira da ideologia hegemônica era neutralizar a verdadeira dimensão desses eventos: a reação predominante da mídia não foi exatamente um *war nam nihadan*? A mídia estava matando o potencial emancipatório radical desses eventos ou encobrindo sua ameaça à democracia, e então plantando flores sobre o cadáver enterrado. Por isso é tão importante esclarecer as coisas, situar esses eventos dentro da totalidade do capitalismo global, o que significa mostrar como eles estão relacionados com o antagonismo central do capitalismo de hoje.

Fredric Jameson argumenta que, em determinado momento histórico, a pluralidade dos estilos artísticos ou das argumentações teóricas pode ser classificada nas tendências que formam um sistema. Via de regra, para articular esse sistema, Jameson baseia-se no quadrado semiótico de Greimas, e por uma boa razão: o quadrado não é uma matriz estrutural puramente formal, pois sempre começa com uma

---

[1] Ver Adam Jacot de Boinod, *The Meaning of Tingo* (Londres, Penguin Press, 2005) [ed. bras.: *Tingo: o irresistível almanaque das palavras que a gente não tem*, trad. Luciano Machado, São Paulo, Conrad, 2007].

oposição básica (antagonismo, "contradição") e depois busca maneiras de deslocar e/ou mediar os dois polos opostos – o sistema de posições possíveis é, portanto, um esquema dinâmico de todas as respostas/reações possíveis a um antagonismo/impasse estrutural básico. Esse sistema não limita simplesmente o escopo da liberdade dos sujeitos: ele simultaneamente abre seu espaço, ou seja, é "ao mesmo tempo liberdade e determinação: abre um conjunto de possibilidades criativas (que só são possíveis como respostas à situação que ele articula) e traça os derradeiros limites da práxis, que são, além disso, os limites do pensamento e da projeção imaginativa"[2]. Jameson também coloca a principal questão epistemológica: de todas as posições possíveis, tal sistema

> quer ser objetivo, mas jamais será mais do que ideológico: pois, na verdade, [na arquitetura] é mais difícil pensar como podemos distinguir entre a existência real dos vários tipos em que as construções modernas incorrem e a invenção óbvia que nossa mente faz dos vários sistemas desses tipos. Com efeito, temos aqui um falso problema: a torturante preocupação de estarmos retratando nosso próprio olhar pode ser mitigada até certo ponto pela lembrança de que nosso olhar é, em si, parte do próprio sistema do Ser, que é nosso objeto de especulação.[3]

Aqui, estamos plenamente justificados de falar como Hegel: se a realidade não corresponde ao nosso conceito, pior para a realidade. Nosso esquema – se adequado – situa a matriz formal que é (imperfeitamente) seguida pela realidade. Como Marx já havia dito, as determinações "objetivas" da realidade social são ao mesmo tempo determinações "subjetivas" do pensamento (determinações dos sujeitos presos nesta realidade) e, nesse ponto de indistinção (em que os limites de nosso pensamento, seus impasses e contradições, são ao mesmo tempo os antagonismos da realidade objetiva social em si), "o diagnóstico é também seu próprio sintoma"[4]: nosso diagnóstico (nossa interpretação "objetiva" do sistema de todas as posições possíveis que determina o escopo de nossa atividade) é, em si, "subjetivo", um esquema das reações subjetivas a um impasse com o qual nos confrontamos em nossa prática e, nesse sentido, sintomático desse impasse não resolvido. Não obstante, deveríamos discordar de Jameson no que se refere à designação dessa indistinção de subjetivo e objetivo como "ideológica": ela só é ideológica se definirmos ingenuamente o "não ideológico" como uma descrição puramente "objetiva", uma descrição desprovida de qualquer envolvimento subjetivo. Contudo, não seria mais apropriado caracterizar como "ideológica" uma visão que ignora (não uma realidade "objetiva" não distorcida por nosso investimento subjetivo,

---

2 Fredric Jameson, *Seeds of Time* (Nova York, Columbia University Press, 1996), p. 129-30 [ed. bras.: *As sementes do tempo*, trad. José Rubens Siqueira, São Paulo, Ática, 1997].

3 Ibidem, p. 130.

4 Idem.

mas) *a própria causa dessa distorção inevitável*, isto é, o real de um impasse a que reagimos em nossos projetos e engajamentos?

Este livro tenta contribuir para esse "mapeamento cognitivo" (Jameson) de nossa constelação. Primeiro, ele descreve brevemente as principais características do capitalismo atual; em seguida, esboça os contornos de sua ideologia hegemônica, concentrando-se nos fenômenos reacionários (revoltas populistas) que surgem como reação aos antagonismos sociais. Os capítulos 6 e 7 tratam de dois grandes movimentos emancipatórios de 2011: a Primavera Árabe e o Occupy Wall Street. Tomando como ponto de partida a série de TV *The Wire* [*A escuta*], os últimos capítulos examinam a difícil questão de como combater o sistema sem contribuir para aprimorar seu funcionamento.

O instrumento dessa descrição é o que Immanuel Kant chamou de "uso público da razão" – hoje, mais do que nunca, devemos ter em mente que o comunismo começa com o "uso público da razão", com o pensar, com a universalidade igualitária do pensamento. Para Kant, o espaço público da "sociedade civil mundial" designa o paradoxo da singularidade universal, de um sujeito singular que, em uma espécie de curto-circuito, passa ao largo da mediação do particular e participa diretamente do Universal. É isso que Kant quer dizer com "público", em oposição a "privado", na famosa passagem de "O que é o esclarecimento?"*: "privado" não é o individual de um sujeito em oposição aos laços comuns, mas a própria ordem institucional-comum da identificação particular do sujeito, ao passo que "público" é a universalidade transnacional do exercício da razão do sujeito.

No entanto, esse duplo uso público e privado da razão não se baseia naquilo que, em termos mais contemporâneos, chamaríamos de suspensão da eficiência simbólica (ou poder performativo) do uso público da razão? Kant não rejeita a fórmula-padrão de obediência – "Não pense, obedeça!" – em troca de seu direto oposto "revolucionário" – "Não obedeça apenas (não siga o que os outros dizem), pense (use a própria cabeça)!". Sua fórmula é "Pense e obedeça!", isto é, pense publicamente (no livre uso da razão) e obedeça em particular (como parte da máquina hierárquica de poder). Em suma, pensar livremente não me legitima a fazer nada – o máximo que posso fazer quando meu "uso público da razão" me leva a ver as fraquezas e as injustiças da ordem existente é um apelo ao governante para que sejam feitas reformas... Podemos até dar um passo adiante aqui e afirmar, como G. K. Chesterton, que, na verdade, a liberdade inconsequente e abstrata de pensar (e duvidar) impede a liberdade efetiva:

> Podemos dizer, de modo geral, que o pensamento livre é a melhor de todas as salvaguardas contra a liberdade. Controlada em estilo moderno, a emancipação da mente

---

* Immanuel Kant, *Resposta à pergunta: o que é o esclarecimento?* (trad. Luiz Paulo Rouanet, Brasília, Casa das Musas, 2008). (N. E.)

> do escravo é a melhor maneira de impedir a emancipação desse escravo. Ensine-o a preocupar-se em querer ou não ser livre, e ele não se libertará.[5]

Mas subtrair o pensar do agir, suspender sua eficiência, é de fato claro e inequívoco? Aqui, a estratégia secreta (intencional ou não) de Kant não seria semelhante ao conhecido truque das batalhas judiciais, em que o advogado faz uma declaração diante do júri que ele sabe que será considerada inadmissível e depois ordena que o júri "ignore" – o que, obviamente, é impossível, posto que o estrago já foi feito? O recuo da eficiência no uso público da razão não é também uma subtração que abre espaço para uma nova prática social? É muito fácil apontar a diferença óbvia entre o uso público da razão kantiano e a consciência revolucionária de classe marxista: o primeiro é neutro/desengajado, a segunda é "parcial" e totalmente engajada. No entanto, a "posição proletária" pode ser definida precisamente como o ponto em que o uso público da razão torna-se em si prático e eficiente sem recair na "privacidade" do uso privado da razão, pois a posição a partir da qual ele é exercido é da "parte de nenhuma parte" do corpo social, o excesso que representa diretamente a universalidade. E o que acontece com a redução stalinista da teoria marxista ao funcionário do Estado-partido é exatamente a redução do uso público ao uso privado da razão.

Somente uma abordagem desse tipo, que unifique a universalidade do "uso público da razão" à posição subjetiva engajada, pode fornecer o "mapeamento cognitivo" de nossa situação. Como disse Lenin: "Temos de *aussprechen was ist*, 'apresentar os fatos', admitir a verdade de que existe uma tendência...". Que tendência? Que fatos devem ser apresentados a respeito do capitalismo global?

[5] G. K. Chesterton, *Ortodoxia* (trad. Almiro Pisetta, São Paulo, Mundo Cristão, 2008), p. 177.

1
Da dominação à exploração e à revolta

Como marxistas, compartilhamos da premissa de que a "crítica da economia política" de Marx continua sendo o ponto de partida para o entendimento de nossa situação socioeconômica. Contudo, para apreendermos a especificidade dessa situação, devemos nos livrar dos últimos vestígios do historicismo evolucionário de Marx, mesmo que ele pareça o próprio fundamento da ortodoxia marxista. Eis Marx em seu pior historicismo:

> Na produção social da própria vida, os homens contraem relações determinadas, necessárias e independentes de sua vontade, relações de produção que correspondem a uma etapa determinada de desenvolvimento de suas forças produtivas materiais. [...] Em certa etapa de seu desenvolvimento, as forças produtivas materiais da sociedade entram em contradição com as relações de produção existentes ou, o que nada mais é do que sua expressão jurídica, com as relações de propriedade dentro das quais aquelas até então se tinham movido. De formas de desenvolvimento das forças produtivas, essas relações se transformam em seus grilhões. Sobrevém então uma época de revolução social. [...] Uma formação social nunca perece antes que estejam desenvolvidas todas as forças produtivas para as quais ela é suficientemente desenvolvida, e novas relações de produção mais adiantadas jamais tomarão o lugar das antigas antes que suas condições materiais de existência tenham sido geradas no seio mesmo da velha sociedade. É por isso que a humanidade só se propõe as tarefas que pode resolver, pois, se se considera mais atentamente, chega-se à conclusão de que a própria tarefa só aparece onde as condições materiais de sua solução já existem, ou, pelo menos, são captadas no processo de seu devir.[1]

---

[1] Karl Marx, "Para a crítica da economia política", em *Manuscritos econômico-filosóficos e outros textos escolhidos* (trad. Edgar Malagodi, São Paulo, Abril Cultural, 1978), p. 129-30. (Coleção Os Pensadores.)

Essa perspectiva é duplamente errada. Primeiro, o capitalismo como formação social é caracterizado por um desequilíbrio estrutural: o antagonismo entre forças e relações existe desde o início, e é o mesmo antagonismo que impulsiona o capitalismo para a autorrevolução e a autoexpansão – o capitalismo prospera porque evita seus grilhões, escapando para o futuro. É também por isso que temos de abandonar a noção "sabiamente" otimista de que a humanidade inevitavelmente "só se propõe as tarefas que pode resolver": hoje enfrentamos problemas para os quais não há nenhuma solução clara, garantida pela lógica da evolução.

Então por onde devemos começar? Talvez devêssemos mudar a ênfase de nossa leitura de *O capital*, de Marx, para "a centralidade estrutural fundamental do desemprego no texto do próprio *O capital*": "o desemprego é estruturalmente inseparável da dinâmica do acúmulo e da expansão que constituiu a natureza em si do capitalismo como tal"[2]. No que podemos considerar o ponto extremo da "unidade dos opostos" na esfera da economia, é o próprio sucesso do capitalismo (alta produtividade etc.) que causa o desemprego (torna inútil uma quantidade cada vez maior de trabalhadores), e o que deveria ser uma bênção (necessidade de menos trabalho árduo) torna-se uma maldição. Assim, o mercado mundial é, com respeito à sua dinâmica imanente, "um espaço em que todos já foram trabalhadores produtivos e o trabalho começou a se valorizar fora do sistema"[3]. Ou seja, no processo contínuo da globalização capitalista, a categoria dos desempregados adquiriu uma nova qualidade, além da noção clássica de "exército industrial de reserva": deveríamos considerar, nos termos da categoria do desemprego, "as populações maciças ao redor do mundo que foram, por assim dizer, 'desligadas da história', excluídas deliberadamente dos projetos modernizadores do capitalismo do Primeiro Mundo e rejeitadas como casos perdidos ou terminais"[4]: os chamados "Estados falidos" (Congo, Somália), vítimas da fome ou de desastres ambientais, presos aos pseudoarcaicos "ódios étnicos", alvos de filantropia e ONGs ou (em geral o mesmo povo) da "guerra ao terror". A categoria dos desempregados, portanto, deveria ser expandida para abranger a amplitude da população, desde os desempregados temporários, passando pelos não mais empregáveis e permanentemente desempregados, até as pessoas que vivem nos cortiços e outros tipos de guetos (aqueles muitas vezes descartados pelo próprio Marx como "lumpemproletariado") e, por fim, áreas, populações ou Estados inteiros excluídos do processo capitalista global, como aqueles espaços vazios dos mapas antigos. Essa expansão do círculo dos "desempregados" não nos levaria de volta de Marx a Hegel: o "populacho" está de volta, surgindo no próprio cerne das lutas emancipatórias? Em outras palavras, tal recategorização muda todo

---

2 Frederic Jameson, *Representing Capital* (Londres, Verso Books, 2011), p. 149.

3 Idem, *Valences of the Dialectic* (Londres, Verso Books, 2009), p. 580-1.

4 Idem, *Representing Capital*, cit., p. 149.

o "mapeamento cognitivo" da situação: o pano de fundo inerte da história torna-se um agente potencial da luta emancipatória.

Não obstante, devemos acrescentar três ressalvas ao desdobramento que Jameson dá a essa ideia. Em primeiro lugar, devemos corrigir o quadrado semiótico proposto por ele, cujos termos são (1) os trabalhadores, (2) o exército de reserva dos (temporariamente) desempregados, (3) os (permanentemente) inempregáveis e (4) os "anteriormente empregados"[5], mas agora inempregáveis. Como quarto termo não seria mais apropriado o *ilegalmente empregado*, desde os que trabalham no mercado negro e nas favelas até as diferentes formas de escravidão? Em segundo lugar, Jameson não enfatiza como esses "excluídos" são, não obstante, muitas vezes *incluídos* no mercado mundial. Tomemos o caso do Congo hoje: é fácil discernir os contornos do capitalismo global por trás da fachada das "paixões étnicas primitivas", que mais uma vez explodem no "coração das trevas" da África. Depois da queda de Mobutu, o Congo deixou de existir como Estado unificado operante; sua parte oriental, em particular, é uma multiplicidade de territórios governados por chefes guerreiros que controlam seu pedaço de terra com um exército que, via de regra, inclui crianças drogadas, e cada um desses chefes possui ligações comerciais com uma corporação ou companhia estrangeira que explora a riqueza (principalmente) mineral da região. Essa organização atende aos dois lados: a corporação ganha o direito de minerar sem pagar impostos etc., e o chefe guerreiro ganha dinheiro... A ironia é que muitos desses minérios são usados em produtos de alta tecnologia, como laptops e telefones celulares. Em suma, devemos esquecer tudo que sabemos sobre os costumes selvagens da população local; basta subtrairmos da equação as companhias estrangeiras de alta tecnologia para que todo o edifício da guerra étnica, alimentado por antigas paixões, venha abaixo[6]. Em terceiro lugar, a categoria dos "anteriormente empregados" deveria ser complementada pelo seu oposto, aqueles que foram educados sem nenhuma chance de encontrar emprego: toda uma geração de estudantes quase não tem chance de conseguir um emprego em sua área, o que leva a um protesto em massa; e a pior maneira de resolver essa lacuna é subordinar a educação diretamente às demandas do mercado – se não por outra razão, isso ocorre porque a dinâmica do mercado torna "obsoleta" a educação dada nas universidades. Esses estudantes inempregáveis estão predestinados a

[5] Idem, *Valences of the Dialectic*, cit., p. 580.

[6] O desmembramento *de facto*, ou melhor, a "congonização" da Líbia depois da intervenção franco-britânica (hoje o país é composto de territórios governados por gangues armadas, que vendem o petróleo diretamente para os consumidores) indica que o Congo deixou de ser uma exceção: uma das estratégias do capitalismo atual para assegurar um fornecimento constante de matéria-prima barata, livre de um poder estatal forte, é manter o desmembramento do Estado condenado à maldição do petróleo ou dos minerais ricos.

desempenhar um papel organizador fundamental nos futuros movimentos emancipatórios (como já fizeram no Egito e nos protestos europeus, desde a Grécia até o Reino Unido). A mudança radical nunca é desencadeada apenas pelo pobre, de modo a criar uma desordem explosiva; portanto, a juventude educada inempregável (combinada à moderna tecnologia digital amplamente disponível) oferece a perspectiva de uma situação propriamente revolucionária.

Jameson dá aqui mais um passo fundamental (paradoxal, mas absolutamente justificado): caracteriza esse novo desemprego estrutural como uma forma de *exploração* – explorados não são apenas os trabalhadores que produzem a mais-valia apropriada pelo capital, mas também aqueles que são estruturalmente impedidos de cair no vórtice capitalista do trabalho assalariado explorado, inclusive regiões e nações inteiras. Então como devemos repensar o conceito de exploração? É necessária uma mudança radical: em uma reviravolta propriamente dialética, a exploração inclui sua própria negação – os explorados não são apenas aqueles que produzem ou "criam", mas também (e principalmente) os condenados a *não* "criar". Não voltamos aqui à estrutura da piada de Rabinovitch? "Por que você acha que é explorado?" "Por dois motivos. Primeiro, quando trabalho, o capitalista se apropria da minha mais-valia." "Mas você está desempregado! Ninguém está explorando sua mais-valia porque você não está produzindo nenhuma!" "Esse é o segundo motivo..." Nesse caso, tudo depende do fato de que a totalidade capitalista da produção não só precisa de trabalhadores, como também gera o "exército de reserva" daqueles que não conseguem trabalho: estes não estão simplesmente fora da circulação do capital, eles são produzidos ativamente por essa circulação como não trabalho. Ou, referindo-nos à piada de *Ninotchka**, eles não são apenas não trabalhadores, porque seu não trabalho é uma característica positiva, da mesma maneira que "café sem leite" é uma característica positiva.

A importância dessa ênfase na exploração torna-se clara quando a contrapomos à *dominação*, tema predileto das diferentes versões da "micropolítica do poder" pós-moderna. Em suma, Foucault e Agamben não são suficientes: todas as elaborações detalhadas dos mecanismos de regulação do poder da dominação, toda a riqueza de conceitos, como excluídos, vida nua, *homo sacer* etc., devem ser fundamentadas na (ou mediadas pela) centralidade da exploração; sem essa referência à economia, a luta contra a dominação permanece "uma luta essencialmente moral ou ética, que leva a revoltas pontuais e atos de resistência, e não à transformação do modo de produção enquanto tal"[7] – o programa positivo das ideologias do "poder" é em geral o programa de determinado tipo de democracia "direta". O

* Ver página 45. (N. T.)

[7] Frederic Jameson, *Representing Capital*, cit., p. 150.

resultado da ênfase na dominação é um programa democrático, ao passo que o resultado da ênfase na exploração é um programa comunista. Nisso reside o limite de descrever os horrores do Terceiro Mundo em termos de efeitos da dominação: o objetivo torna-se a democracia e a liberdade. Mesmo a referência ao "imperialismo" (em vez do capitalismo) funciona como um exemplo de como "uma categoria econômica pode se ajustar tão facilmente a um conceito de poder ou dominação"[8] – e a implicação dessa mudança de ênfase para a dominação é, obviamente, a crença em outra modernidade ("alternativa") na qual o capitalismo funcionará de maneira mais "justa", sem dominação. Mas o que essa noção de dominação não leva em conta é que somente no capitalismo a exploração é "naturalizada", está inscrita no funcionamento da economia – ela não é resultado de pressão e violência extraeconômicas, e é por isso que, no capitalismo, temos liberdade pessoal e igualdade: não há necessidade de uma dominação social direta, a dominação já está na estrutura do processo de produção. É também por isso que a categoria de mais-valia é crucial nesse ponto: Marx sempre enfatizou que a troca entre trabalhador e capitalista é "justa" no sentido de que os trabalhadores (via de regra) recebem o valor total de sua força de trabalho como uma mercadoria – não há uma "exploração" direta, ou seja, não é que os trabalhadores "não recebam o valor total da mercadoria que vendem para os capitalistas". Desse modo, embora na economia de mercado eu permaneça dependente *de facto*, essa dependência é "civilizada", representada na forma de uma "livre" troca de mercado entre mim e outras pessoas, e não na forma de servidão direta ou mesmo de coerção física. É fácil ridicularizar Ayn Rand, mas há certa verdade no famoso "hino ao dinheiro" de seu *A revolta de Atlas*:

> Enquanto não descobrirem que o dinheiro é a origem de todo bem, vocês continuarão pedindo pela própria destruição. Quando o dinheiro deixa de ser o meio pelo qual os homens tratam uns com os outros, os homens tornam-se instrumento dos outros homens. Sangue, açoite, armas ou dólares. Façam sua escolha – não há outra.[9]

Marx não disse algo parecido em sua conhecida frase de que, no universo das mercadorias, "as relações entre as pessoas assumem a aparência de relações entre coisas"? Na economia de mercado, as relações entre as pessoas podem aparecer como relações de liberdade e igualdade mutuamente reconhecidas: a dominação não é mais diretamente representada e visível enquanto tal.

A resposta liberal à dominação é o reconhecimento: o reconhecimento "torna-se um risco em uma povoação multicultural pela qual diversos grupos, de manei-

[8] Ibidem, p. 151.

[9] Ayn Rand, *Atlas Shrugged* (Londres, Penguin Books, 2007), p. 871 [ed. bras.: *A revolta de Atlas*, trad. Paulo Henriques Britto, Rio de Janeiro, Sextante, 2010].

ra pacífica e por eleição, dividem o espólio"[10]. Os sujeitos do reconhecimento não são classes (não faz sentido exigir o reconhecimento do proletariado como sujeito coletivo – na verdade, o fascismo faz isso, exigindo o reconhecimento mútuo das classes), são raça, gênero etc. – a política do reconhecimento permanece no quadro da sociedade civil burguesa, ainda não é política de classes[11]. Para irmos além desse quadro, devemos nos concentrar em três aspectos que caracterizam o capitalismo atual: a tendência duradoura de retornar do lucro à renda (em suas duas formas principais: a renda do "conhecimento comum" privatizado e a renda dos recursos naturais); o papel estrutural muito mais forte do desemprego (a própria oportunidade de estar "empregado" em um trabalho duradouro é vivida como um privilégio); a ascensão da nova classe do que Jean-Claude Milner chama de "burguesia assalariada"[12].

Como vimos, a consequência do aumento da produtividade ocasionado pelo impacto exponencialmente crescente do conhecimento coletivo é a mudança no papel do desemprego. Mas essa nova forma de capitalismo não fornece uma nova perspectiva de emancipação? Nisso reside a tese de Hardt e Negri em *Multidão*[13], em que se empenham em radicalizar Marx, para quem o capitalismo corporativo altamente organizado já era "socialismo dentro do capitalismo" (uma espécie de socialização do capitalismo, em que os proprietários ausentes tornam-se cada vez mais supérfluos), de modo que, para termos socialismo, basta cortar a cabeça nominal. No entanto, para Hardt e Negri, a limitação em Marx é o fato de ele se restringir historicamente ao trabalho industrial automatizado e organizado de maneira centralizada e hierárquica. Por esse motivo, a visão que têm do "intelecto geral" é a de um órgão de planejamento central; somente hoje, com a ascensão do "trabalho imaterial" ao papel hegemônico, é que a reviravolta revolucionária torna-se "objetivamente possível". Esse trabalho imaterial estende-se entre o polo do trabalho intelectual (simbólico) – produção de ideias, códigos, textos, programas, figuras: escritores, programadores, dentre outros – e o do trabalho afetivo – quem trata de nossos afetos físicos: de médicos e babás a comissários de bordo. Hoje, o trabalho imaterial é "hegemônico" no sentido exato em que Marx proclamava que, no capitalismo do século XIX, a larga produção industrial era hegemônica como a cor específica que dá tom à totalidade – não quantitativamente, mas desempenhando o emblemático papel estrutural. Desse modo, o que surge é um novo e vasto domínio, o "comum": conhecimentos, formas de cooperação e comunicação compartilhados etc., que já não podem mais ser conti-

[10] Frederic Jameson, *Valences of the Dialectic*, cit., p. 568.

[11] Idem.

[12] Ver Jean-Claude Milner, *Clartés de tout* (Paris, Verdier, 2011).

[13] Michael Hardt e Antonio Negri, *Multitude* (Nova York, Penguin, 2004) [ed. bras.: *Multidão*, trad. Clóvis Marques, Rio de Janeiro, Record, 2005].

dos pela forma da propriedade privada. Por quê? Na produção imaterial, os produtos não são mais objetos materiais, mas novas relações sociais (interpessoais) em si. Em suma, a produção imaterial é diretamente biopolítica, a produção da vida social.

A ironia é que Hardt e Negri se referem aqui ao próprio processo que os ideólogos do capitalismo "pós-moderno" celebram como a passagem da produção material para a produção simbólica, da lógica centralista hierárquica para a lógica da auto-organização autopoiética, da cooperação multicentralizada etc. Aqui, Negri é fiel a Marx: o que tenta provar é que Marx estava certo, que a ascensão do "intelecto geral" é incompatível a longo prazo com o capitalismo. Os ideólogos do capitalismo pós-moderno afirmam exatamente o oposto: é a teoria (e a prática) marxista em si que continua limitada pela lógica hierárquica do controle centralizado do Estado e, por isso, não consegue lidar com os efeitos sociais da nova revolução da informação. Há boas razões empíricas para essa afirmação: mais uma vez, a grande ironia da história é que a desintegração do comunismo é o exemplo mais convincente da validade da dialética marxista tradicional entre força de produção e relações de produção, com a qual o marxismo contou em seu esforço para superar o capitalismo. O que arruinou os regimes comunistas foi sua incapacidade de se adaptar à nova lógica social, apoiada na "revolução da informação": eles tentaram conduzir essa revolução como mais um projeto planejado pelo Estado, centralizado e de larga escala. Portanto, o paradoxo é: o que Negri celebra como a única chance de superar o capitalismo, os ideólogos da "revolução da informação" celebram como a ascensão do novo capitalismo "sem atrito".

A análise de Hardt e Negri tem três pontos fracos que, em conjunto, explicam como o capitalismo pode sobreviver ao que deveria ter sido (em termos marxistas clássicos) uma nova organização da produção que o torna obsoleto. Ela subestima quão bem-sucedido (a curto prazo, pelo menos) o capitalismo atual foi ao privatizar o "conhecimento comum", assim como quão "supérfluos" os próprios trabalhadores, mais do que a burguesia, estão se tornando (cada vez mais trabalhadores passam a ser estruturalmente inempregáveis, e não apenas temporariamente desempregados). Além disso, mesmo que em princípio seja verdade que a burguesia esteja se tornando pouco a pouco desfuncional, é preciso especificar essa afirmação: desfuncional *para quem? Para o próprio capitalismo*. Ou seja, se o antigo capitalismo envolvia, em termos ideais, um empreendedor que investia dinheiro (seu ou emprestado) na produção (organizada e dirigida por ele mesmo) e recebia os lucros, hoje surge um novo tipo ideal: o empreendedor que não é mais dono de sua própria empresa, mas um gerente especializado (ou um conselho administrativo presidido por um CEO) que dirige uma empresa pertencente a bancos (também dirigidos por gerentes que não são seus donos) ou a investidores dispersos. Nesse novo tipo ideal de capitalismo sem burguesia, a antiga burguesia, tornada desfuncional, é refuncionalizada como gerentes assalariados – a nova burguesia é paga e, mesmo que possua parte da empresa, recebe ações como parte da remuneração de seu trabalho ("bônus" por seu gerenciamento "bem-sucedido").

Essa nova burguesia também se apropria da mais-valia, mas na forma (mistificada) do que Milner chama de "mais-salário": em geral, ela ganha mais que o "salário mínimo" do proletário (um ponto de referência imaginário – muitas vezes mítico – cujo único exemplo real na economia global da atualidade é o salário de um trabalhador em uma *sweatshop** na China ou na Indonésia), e é essa diferença dos proletários comuns, essa distinção, que determina seu status. A burguesia, em seu sentido clássico, tende a desaparecer: os capitalistas reaparecem como um subconjunto dos trabalhadores assalariados – gerentes qualificados para ganhar mais por sua competência (por isso a "avaliação" pseudocientífica que legitima os especialistas a ganhar mais é tão importante hoje). Obviamente, a categoria dos trabalhadores que ganham um mais-salário não se limita aos gerentes: ela abrange todos os tipos de especialistas (administradores, servidores públicos, médicos, advogados, jornalistas, intelectuais, artistas...). O excedente ganho por eles tem duas formas: mais dinheiro (para os gerentes etc.), mas também menos trabalho, isto é, mais tempo livre (para – alguns – intelectuais, mas também para setores da administração pública etc.).

O procedimento de avaliação que qualifica alguns trabalhadores a receber mais-salário é obviamente um mecanismo arbitrário de poder e ideologia, sem nenhuma ligação real com competências, ou, como afirma Milner, a necessidade do mais-salário não é econômica, mas política: para manter uma "classe média" com um propósito de estabilidade social. O erro não é a arbitrariedade da hierarquia social, mas todo o seu propósito, de modo que a arbitrariedade da avaliação desempenha um papel homólogo à arbitrariedade do sucesso de mercado. Ou seja, há ameaça de violência não quando existe muita contingência no espaço social, mas quando se tenta eliminar essa contingência. É nesse nível que deveríamos buscar o que chamaríamos, em termos mais amenos, de função social da hierarquia. Jean-Pierre Dupuy[14] concebe a hierarquia como um dos quatro procedimentos ("dispositivos simbólicos") cuja função é fazer com que a relação de superioridade não seja humilhante para os subordinados: a *hierarquia* em si (ordem externamente imposta dos papéis sociais em uma distinção clara em relação ao valor imanente superior ou inferior dos indivíduos – portanto, eu vivencio meu status social mais baixo como totalmente independente de meu valor inerente); a *desmistificação* (procedimento crítico-ideológico que mostra que as relações de superioridade e inferioridade não se fundam na meritocracia, mas são resultado de lutas sociais e ideológicas objetivas: meu status social depende de processos sociais objetivos, não de meus

* Literalmente, "oficina do suor". De modo geral, a expressão se refere às confecções que exploram os trabalhadores, oferecendo péssimas condições de trabalho e pagando salários miseráveis. (N. T.)

[14] Ver Jean-Pierre Dupuy, *La marque du sacré* (Paris, Carnets Nord, 2008).

méritos; como Dupuy diz de forma mordaz, a desmistificação social "desempenha em nossas sociedades igualitárias, competitivas e meritocráticas o mesmo papel que a hierarquia desempenha nas sociedades tradicionais"[15] – ela permite evitar a dolorosa conclusão de que a superioridade do outro é o resultado de seus méritos e conquistas); a *contingência* (o mesmo mecanismo, mas sem o lado crítico-social: nossa posição na escala social depende da loteria natural e social – os sortudos são os que nascem com melhores disposições e em famílias ricas); e a *complexidade* (a superioridade ou a inferioridade dependem de um processo social complexo que não depende dos méritos ou das intenções dos indivíduos – digamos, a mão invisível do mercado pode provocar meu fracasso e o sucesso do próximo, mesmo que eu tenha trabalhado muito mais duro e seja muito mais inteligente). Ao contrário do que pode parecer, todos esses mecanismos não contestam nem ameaçam a hierarquia, mas tornam-na palatável, pois "o que desencadeia o turbilhão da inveja é a ideia de que o outro merece sua boa sorte e não a ideia oposta, que é a única que pode ser expressa às claras"[16]. Dessa premissa, Dupuy extrai a seguinte conclusão (óbvia, para ele): é um grande erro pensar que uma sociedade justa e que percebe a si mesma como justa estará, por isso, livre de qualquer indignação – ao contrário, é exatamente em sociedades desse tipo que aqueles que ocupam posições inferiores só encontrarão escape para seu orgulho ferido em acessos violentos de indignação.

Nisso reside um dos impasses da China agora: o objetivo ideal das reformas de Deng foi introduzir o capitalismo sem a burguesia (como a nova classe dominante); agora, no entanto, os líderes chineses estão descobrindo de maneira dolorosa que o capitalismo, sem uma hierarquia estável (provocada pela burguesia como nova classe), gera uma instabilidade permanente. Que rumo tomará a China, então? Em termos mais gerais, podemos dizer que é também por esse motivo que (ex-)comunistas estão surgindo como os mais eficientes gerenciadores do capitalismo: sua hostilidade histórica contra a burguesia como classe corresponde perfeitamente à tendência do atual capitalismo na direção de um capitalismo administrativo, sem a burguesia – em ambos os casos, como disse Stalin há muito tempo, "os quadros decidem tudo". (Também há uma diferença interessante surgindo entre a China e a Rússia: na Rússia, os quadros universitários são ridiculamente mal pagos e, *de facto*, já fazem parte do proletariado; na China, eles recebem um "mais-salário" para garantir sua docilidade.)

Além disso, a noção de "mais-salário" também nos permite lançar novas luzes sobre os protestos "anticapitalistas". Em tempos de crise, os candidatos óbvios a "apertar o cinto" são as camadas mais baixas da burguesia assalariada: como seu mais-salário não tem um papel econômico imanente, a única coisa que os impede

[15] Ibidem, p. 208.

[16] Ibidem, p. 211.

de se juntar ao proletariado é o protesto político. Embora esses protestos sejam nominalmente dirigidos contra a lógica brutal do mercado, eles protestam, na verdade, contra a corrosão gradual de sua posição econômica (politicamente) privilegiada. Lembramos aqui a fantasia ideológica predileta de Ayn Rand em *A revolta de Atlas*: a dos capitalistas ("criativos") em greve; essa fantasia não encontra sua realização pervertida nas greves de hoje, que são, em sua maioria, greves da "burguesia assalariada" privilegiada, movida pelo temor de perder privilégios (o excedente sobre o salário mínimo). Essas greves não são protestos de proletários, mas protestos contra a ameaça de ser reduzido a proletário. Em outras palavras, quem ousa fazer greve hoje em dia, quando ter trabalho fixo já começa a ser um privilégio? Não os trabalhadores modestamente pagos na indústria têxtil (ou no que restou dela) etc., mas sim a camada de trabalhadores privilegiados, com empregos garantidos (principalmente da administração pública: policiais, fiscais, professores, trabalhadores do setor de transportes públicos, entre outros). Isso explica também a nova onda de protestos estudantis: a principal motivação dos estudantes é provavelmente o medo de que o ensino superior deixe de garantir o "mais-salário" no futuro.

Está claro que o grande ressurgimento dos protestos no último ano, da Primavera Árabe à Europa Ocidental, do Occupy Wall Street à China, da Espanha à Grécia, não deveria ser considerado uma revolta da burguesia assalariada – estão envolvidos protestos muito mais radicais, então deveríamos fazer análises concretas, caso a caso. Os protestos estudantis contra a reforma universitária no Reino Unido opõem-se claramente aos tumultos de agosto de 2011, ao carnaval consumista da destruição, a essa verdadeira explosão dos excluídos no país. Quanto às rebeliões no Egito, podemos dizer que houve, no início, um momento de revolta da burguesia assalariada (jovens instruídos protestando contra a falta de perspectivas), mas isso fazia parte de um protesto mais amplo contra um regime opressor. Até que ponto, porém, o protesto mobilizou os camponeses e os trabalhadores pobres? A vitória eleitoral dos islamitas não seria também uma indicação da estreita base social do protesto secular original? A Grécia é um caso especial: nas últimas décadas, uma nova "burguesia assalariada" (principalmente na administração pública superampliada) foi criada com empréstimos e ajuda financeira da União Europeia, e grande parte dos protestos atuais é, mais uma vez, uma reação à ameaça de perda desse privilégio.

Além disso, essa proletarização da baixa "burguesia assalariada" é acompanhada do excesso oposto: os salários exorbitantes de altos executivos e banqueiros; do ponto de vista econômico, esses salários são economicamente irracionais porque, como mostraram os estudos realizados nos Estados Unidos, tendem a ser inversamente proporcionais ao sucesso da empresa. (É verdade: parte do preço pago por esses salários excessivos é que os gerentes têm de estar disponíveis 24 horas por dia, vivendo, portanto, em constante estado de emergência.) Em vez de submeter essas tendências a uma crítica moralizadora, deveríamos interpretá-las como indicação de que o próprio sistema capitalista não é mais capaz de encontrar um nível imanente de estabilidade autorregulada e sua circulação ameaça sair do controle.

A boa e velha noção marxista-hegeliana de totalidade ganha todo o seu sentido aqui: é crucial apreender a crise econômica em sua totalidade e não nos perdermos em seus aspectos parciais. O primeiro passo rumo a essa totalidade é nos concentrarmos naqueles momentos singulares que se projetam como sintomas da situação econômica presente; por exemplo, todo mundo sabe que o "pacote de ajuda" à Grécia não vai funcionar, mas ainda assim novos pacotes são repetidamente impostos ao país, num estranho exemplo da lógica do "eu sei, mas...". Há duas visões principais a respeito da crise na Grécia na mídia pública: a visão germânico-europeia (os gregos são irresponsáveis e preguiçosos, gastam sem pensar e esquivam-se dos impostos, precisam ser controlados e disciplinados financeiramente) e a visão grega (a soberania nacional é ameaçada pela tecnocracia neoliberal de Bruxelas). (Uma das afirmações ultrajantes de Jacques Lacan é: ainda que se descubra que é verdade o que o marido ciumento diz sobre sua esposa {que ela dorme com outros homens}, seu ciúme continua sendo patológico. Seguindo essa mesma linha, poderíamos dizer que, ainda que a maioria das afirmações dos nazistas sobre os judeus seja verdade {eles exploram os alemães, seduzem as alemãs...} – o que, obviamente, *não* é o caso –, seu antissemitismo continua sendo {e era} patológico, posto que representa a verdadeira razão *pela qual* os nazistas *precisavam* do antissemitismo para sustentar sua posição ideológica. O mesmo vale para a acusação de que os gregos são preguiçosos: ainda que fosse o caso, a acusação é falsa porque esconde a complexa situação econômica global que levou a Alemanha, a França etc. a financiar os gregos "preguiçosos".) Quando não se pôde mais ignorar a difícil situação dos gregos, surgiu uma terceira visão: os gregos comuns são cada vez mais apresentados como vítimas humanitárias que precisam de ajuda, como se alguma catástrofe natural ou uma guerra tivesse atingido o país. Por mais falsas que sejam essas três visões, poderíamos dizer que a terceira é a mais repulsiva: ela oblitera o fato de que os gregos não são vítimas passivas; eles lutam, estão em guerra contra o *establishment* econômico europeu e precisam de solidariedade em sua luta, porque ela não é só deles, mas de todos nós. A Grécia não é uma exceção, mas um dos principais campos de teste para impor um novo modelo socioeconômico com pretensões universais: o modelo tecnocrático despolitizado, em que banqueiros e outros especialistas têm permissão para esmagar a democracia. Há sinais abundantes desse processo por toda a parte, até o crescimento do Walmart como uma nova forma de consumismo voltado para as classes mais baixas:

> A despeito das primeiras grandes empresas que criaram novos setores graças a uma invenção (por exemplo, Thomas Edison com a lâmpada, a Microsoft com o Windows, a Sony com o Walkman ou a Apple com o pacote iPod/iPhone/iTunes) ou de outras que se concentraram na construção de uma marca particular (por exemplo, Coca-Cola ou

Marlboro), o Walmart fez algo que ninguém pensou em fazer antes: incorporou uma nova ideologia de baixo preço a uma marca feita para atrair os norte-americanos sob pressão financeira da classe média baixa e da classe trabalhadora. Em conjunção com a proscrição feroz dos sindicatos, tornou-se um baluarte dos preços baixos e oferece aos consumidores da sofrida classe trabalhadora uma sensação de satisfação por participar da exploração dos produtores (principalmente estrangeiros) daquilo que está em seu carrinho de compras.[17]

Mas a característica principal é que a crise em andamento não diz respeito a uma regulação bancária de gastos arriscados, negligente, ineficaz etc. Um ciclo econômico está chegando ao fim, um ciclo que começou no início da década de 1970, quando nasceu o que Varoufakis chama de "Minotauro global", o monstruoso mecanismo que governou a economia mundial do começo da década de 1980 até 2008[18]. O fim da década de 1960 e o começo da década de 1970 não foram apenas a época da crise do petróleo e da estagflação; a decisão de Nixon de substituir o padrão-ouro pelo dólar foi sinal de uma mudança muito mais radical no funcionamento básico do sistema capitalista. No fim da década de 1960, a economia dos Estados Unidos não era mais capaz de continuar reciclando seus excedentes para a Europa e a Ásia, esses excedentes se tornaram déficits. Em 1971, o governo dos Estados Unidos respondeu ao declínio com um movimento estratégico audacioso: em vez de procurar resolver os déficits explosivos do país, decidiu fazer o oposto, isto é, *aumentar os déficits*. "E quem pagaria por eles? O resto do mundo! Como? Por meio de uma transferência permanente de capital que atravessava incessantemente os dois grandes oceanos para financiar os déficits dos Estados Unidos". Assim, esses déficits começaram a funcionar

> como um aspirador de pó gigante, absorvendo o capital e as mercadorias excedentes de outras pessoas. Embora esse "arranjo" fosse a encarnação do mais grosseiro desequilíbrio imaginável em escala global, [...] ele deu origem a algo parecido com um equilíbrio global; um sistema internacional de fluxos comerciais e financeiros assimétricos, de rápida aceleração e capaz de aparentar estabilidade e crescimento estável. [...] Fortalecidas por esses déficits, as principais economias do excedente (por exemplo, Alemanha, Japão e, posteriormente, China) continuaram a produzir mercadorias em abundância, enquanto os Estados Unidos as absorviam. Quase 70% dos lucros obtidos no mundo por esses países foram transferidos de volta para os Estados Unidos na forma de fluxo de capital para Wall Street. E o que Wall Street fez com isso? Transformou essas entradas de capital em investimentos diretos, quotas, novos instrumentos financeiros, novas e velhas formas de empréstimos etc.[19]

---

[17] Philip Pilkington, "The Global Minotaur: An Interview with Yanis Varoufakis", *Naked Capitalism*, 13 fev. 2012. Disponível em: <http://www.nakedcapitalism.com/2012/02/the-global-minotaur-an-interview-with-yanis-varoufakis.html>.

[18] Ver Yanis Varoufakis, *The Global Minotaur* (Londres, Zed Books, 2011).

[19] Philip Pilkington, "The Global Minotaur", cit.

Embora a visão de Emmanuel Todd sobre a ordem global de hoje seja nitidamente unilateral, é difícil negar seu momento de verdade: os Estados Unidos são um império em declínio[20]. O crescimento negativo de sua balança comercial mostra que os Estados Unidos são um predador improdutivo: têm de sugar a entrada diária de 1 bilhão de dólares de outros países para comprar para seu próprio consumo e, como tal, são o consumidor keynesiano universal que mantém a economia mundial em funcionamento. (Chega da ideologia econômica antikeynesiana que parece predominar atualmente!) Esse influxo, que é como a dízima paga a Roma na Antiguidade (ou as oferendas que os gregos antigos faziam ao Minotauro), baseia-se em um mecanismo econômico complexo: "confia-se" nos Estados Unidos como um centro seguro e estável, de modo que todos os outros, desde os países árabes produtores de petróleo até o Japão e a Europa Ocidental e, hoje, até mesmo a China, investem seus lucros excedentes nos Estados Unidos. Como essa "confiança" é sobretudo ideológica e militar, não econômica, o problema dos Estados Unidos é como justificar esse papel imperial – eles precisam de um estado de guerra permanente, tanto que tiveram de inventar a "guerra ao terror", oferecendo-se como o protetor universal de todos os outros Estados "normais" (não "párias"). Desse modo, o mundo inteiro tende a funcionar como uma Esparta universal e suas três classes, hoje na forma de primeiro, segundo e terceiro mundos: (1) os Estados Unidos como poder militar, político e ideológico; (2) a Europa e partes da Ásia e da América Latina como zona industrial manufatureira (a Alemanha e o Japão, os maiores exportadores do mundo, além da China em ascensão, são cruciais aqui); (3) o restante pouco desenvolvido, os hilotas contemporâneos. Em outras palavras, o capitalismo global provocou uma nova tendência geral à oligarquia, fantasiada de celebração da "diversidade das culturas": a igualdade e o universalismo estão desaparecendo como verdadeiros princípios políticos... Contudo, antes mesmo de se estabelecer plenamente, esse sistema mundial neoespartano está entrando em colapso: em contraste com 1945, o mundo não precisa dos Estados Unidos, mas são os Estados Unidos que precisam do mundo.

Tendo essa sombra gigantesca como pano de fundo, as lutas europeias (dirigentes alemães furiosos com os gregos e relutando em jogar centenas de bilhões no buraco negro da Grécia, e dirigentes gregos insistindo pateticamente em sua soberania e comparando a pressão de Bruxelas sobre a Grécia com a ocupação alemã durante a Segunda Guerra Mundial) só podem parecer ridículas e insignificantes.

[20] Ver Emmanuel Todd, *After the Empire* (Londres, Constable, 2004) [ed. bras.: *Depois do Império*, trad. Clóvis Marques, Rio de Janeiro, Record, 2003].

2
O "trabalho de sonho" da representação política

Em sua análise sobre a Revolução Francesa em 1848 e o que veio depois (*O 18 de brumário de Luís Bonaparte* e *As lutas de classes na França*), Marx "complicou" de maneira propriamente dialética a lógica da representação social (agentes políticos fazendo as vezes de classes e forças econômicas), indo muito mais além do que a noção usual dessas "complicações", segundo a qual a representação política nunca reflete diretamente a estrutura social (um único agente político pode representar diferentes grupos sociais; uma classe pode renunciar à sua representação direta e deixar para outra classe a tarefa de assegurar as condições político-jurídicas de seu papel, como fez a classe capitalista inglesa ao deixar para a aristocracia o exercício do poder político etc.). A análise de Marx aponta para o que, mais de um século depois, Lacan articulou como a "lógica do significante". Há quatro versões principais da "complicação" de Marx; começaremos pela análise de Marx do Partido da Ordem, que assumiu o poder quando o impulso revolucionário de 1848 perdeu força na França. O segredo de sua existência foi revelado:

> a *coalizão de orleanistas* e *legitimistas* em um *único partido*. A classe burguesa desagregou-se em duas grandes facções, que haviam se revezado no monopólio do domínio, a saber, a *grande propriedade fundiária* sob a *monarquia restaurada* e a *aristocracia financeira* com a *burguesia industrial* sob a *monarquia de julho*. *Bourbon* era o nome real que representava a influência preponderante dos interesses de uma das facções, *Orléans* a designação real que representava a influência preponderante dos interesses da outra facção – o *reino sem nome da república* foi a única coisa em que as duas facções eram capazes de sustentar, em um domínio homogêneo, o interesse comum de sua classe sem renunciar à sua rivalidade mútua.[1]

[1] Karl Marx, *As lutas de classes na França de 1848 a 1850* (trad. Nélio Schneider São Paulo, Boitempo, 2012), p. 98.

Esta é a primeira complicação: quando lidamos com dois ou mais grupos socioeconômicos, seu interesse comum só pode ser representado na forma da *negociação da premissa compartilhada* – o denominador comum das duas facções monárquicas não é o monarquismo, mas o republicanismo. E, da mesma maneira, o único agente político que, consequentemente, representa os interesses do capital como tal, em sua universalidade, acima de suas facções particulares, é a democracia social da terceira via (por isso Wall Street apoia Obama ou, na China, o Partido Comunista é o melhor representante do interesse coletivo do capital). Em *O 18 de brumário de Luís Bonaparte*, Marx continua e estende essa lógica para toda a sociedade, como fica claro a partir de sua dura descrição da "Sociedade 10 de Dezembro", o exército particular de assassinos napoleônico:

> *Roués* [rufiões] decadentes com meios de subsistência duvidosos e de origem duvidosa, rebentos arruinados e aventurescos da burguesia eram ladeados por vagabundos, soldados exonerados, ex-presidiários, escravos fugidos das galeras, gatunos, trapaceiros, *lazzaroni* [lazarones], batedores de carteira, prestidigitadores, jogadores, *maquereaux* [cafetões], donos de bordel, carregadores, literatos, tocadores de realejo, trapeiros, amoladores de tesouras, funileiros, mendigos, em suma, toda essa massa indefinida, desestruturada e jogada de um lado para outro, que os franceses denominam *la bohème* [a boemia]; com esses elementos, que lhe eram afins, Bonaparte formou a base da Sociedade 10 de Dezembro. Era "sociedade beneficente" na medida em que todos os seus membros, a exemplo de Bonaparte, sentiam a necessidade de beneficiar-se à custa da nação trabalhadora. Esse Bonaparte se constitui como *chefe do lumpemproletariado*, porque é nele que identifica maciçamente os interesses que persegue pessoalmente, reconhecendo, nessa escória, nesse dejeto, nesse refugo de todas as classes, a única classe na qual pode se apoiar incondicionalmente; esse é o verdadeiro Bonaparte, o Bonaparte *sans phrase* [sem retoques].[2]

A lógica do Partido da Ordem é levada a sua conclusão radical: da mesma maneira que o único denominador comum de todas as facções monarquistas é o republicanismo, *o único denominador comum de todas as classes é o excesso de excrementos, o refugo/resíduo de todas as classes.* Ou seja, na medida em que Napoleão III se considera acima dos interesses de classes, para a reconciliação de todas as classes, sua base imediata de classe só pode ser o resto de excrementos de todas as classes, os rejeitados sem classe de/em cada classe. Assim, em uma reversão dialética propriamente hegeliana, é exatamente o excesso não representável da sociedade – a escória, a plebe – que, por definição, é deixado de fora de todo sistema orgânico da representação social, que se torna o meio da representação universal. E é por esse apoio no "abjeto social" que Napoleão pode passar de um lado para

[2] Karl Marx, *O 18 de brumário de Luís Bonaparte* (trad. Nélio Schneider, São Paulo, Boitempo, 2011), p. 91.

o outro, mudando permanentemente de posição, representando a cada vez uma classe contra as outras:

> O plano era colocar o povo para trabalhar. Decreta-se a realização de obras públicas. Mas as obras públicas aumentam os impostos cobrados do povo. Portanto, reduzem-se os impostos através de um golpe nos *rentiers* [investidores], ou seja, pela conversão dos títulos a 5% para títulos a 4,5%. Porém, a classe média precisa receber mais um *douceur* [doce, agrado]. Portanto, dobra-se o valor do imposto do vinho para o povo que compra *en détail* [no varejo] e reduz-se o imposto pela metade para a classe média que o bebe *en gros* [no atacado]. Dissolvem-se as associações de trabalhadores concretas, mas prometem-se milagres de futuras associações. Resolve-se ajudar os camponeses. Criam-se bancos hipotecários que aceleram o seu endividamento e a concentração da propriedade. Mas resolve-se utilizar esses bancos para extrair dinheiro dos bens confiscados à casa de Orléans. Nenhum capitalista está disposto a aceitar essa condição, que nem mesmo consta no decreto, e o banco hipotecário não sai do papel etc. etc. Bonaparte gostaria de ser encarado como o benfeitor patriarcal de todas as classes. Mas ele não tem como dar a um sem tirar do outro. Assim como na época da fronda se disse a respeito do conde de Guise que ele seria o homem mais prestativo da França por ter transformado todos os seus bens em obrigações dos seus adeptos para com ele, assim também Bonaparte quer ser o homem mais prestativo da França e transformar toda a propriedade e todo o trabalho da França em obrigação pessoal para com ele. Ele gostaria de roubar toda a França para dá-la de presente à França.[3]

Temos aqui o impasse do todo: se o todo (todas as classes) tem de ser representado, então a estrutura tem de ser como a do *jeu du furet* ("jogo do furão"), em que os jogadores formam um círculo ao redor de outro jogador e passam o "furão" de mão em mão por trás de suas costas; o jogador no centro da roda tem de adivinhar na mão de quem está o furão e, quando acerta, troca de lugar com a pessoa que está com ele. (Em inglês, os jogadores cantam durante o jogo: "Button, button, who's got the button?"*.) Mas isso não é tudo. Para que o sistema funcionasse, isto é, para que Napoleão ficasse acima das classes e não agisse como representante direto de nenhuma, não bastava que ele situasse a base direta de seu regime no refugo/resíduo de todas as classes. Ele também deveria agir como representante de uma classe particular: a classe que não é suficientemente constituída para agir como um agente unificado que demanda representação ativa. Essa classe de pessoas que não pode representar a si própria e que, portanto, só pode ser representada é, obviamente, a classe dos camponeses parceleiros:

> Os camponeses parceleiros constituem uma gigantesca massa, cujos membros vivem na mesma situação, mas não estabelecem relações diversificadas entre si. O seu modo de

[3] Ibidem, p. 151-2.

* "Botão, botão, quem está com o botão?" (N. T.)

> produção os isola uns dos outros, em vez de levá-los a um intercâmbio recíproco. [...] Por conseguinte, são incapazes de fazer valer os interesses da sua classe no seu próprio nome, seja por meio de um Parlamento, seja por meio de uma conversão. Eles não são capazes de representar a si mesmos, necessitando, portanto, ser representados. O seu representante precisa entrar em cena ao mesmo tempo como o seu senhor, como uma autoridade acima deles, como um poder governamental irrestrito, que os proteja das demais classes e lhes mande chuva e sol lá de cima. A expressão última da influência política dos camponeses parceleiros consiste, portanto, no fato de o Poder Executivo submeter a sociedade a si próprio.[4]

Somente juntas essas características formam a estrutura paradoxal da representação populista bonapartista: *estar acima* de todas as classes, *transitar entre* elas, uma dependência direta do *abjeto/resíduo de todas as classes*, acrescida da referência última à classe daqueles que são *incapazes de agir como agente coletivo que demanda representação política*. (Não é difícil identificar nessa trindade a tríade lacaniana do ISR [imaginário, simbólico, real]: os pequenos agricultores como a base imaginária do regime de Napoleão III; o jogo simbólico do furão como salto de uma (sub)classe para outra; o real da escória de todas as classes.) Esses paradoxos apontam para a impossibilidade de uma representação plena (recordemos a estupidez de Rick Santorum, que, no início de 2012, disse que, em contraste com o movimento Occupy Wall Street, que alega corresponder a 99%, ele representa os 100%). Como diria Lacan, o antagonismo de classe com 100% de representação é materialmente impossível: antagonismo de classe significa que não existe um todo neutro de uma sociedade – cada "todo" privilegia em segredo determinada classe.

Recordemos aqui o axioma seguido pela maioria dos "especialistas" e políticos de hoje: somos continuamente informados de que vivemos numa época crítica de déficit e dívidas, um momento em que todos temos de dividir o fardo e aceitar um padrão de vida mais baixo – *todos, exceto os (muito) ricos*. A ideia de aumentar os impostos deles é um tabu absoluto: se fizermos isso, dizem, os ricos perderão o incentivo para investir e criar novos empregos, e todos nós vamos sofrer as consequências. A única forma de sair desse momento difícil é tornar os pobres mais pobres e os ricos mais ricos. E se os ricos correm o risco de perder parte de sua riqueza, a sociedade tem de ajudá-los: a ideia predominante sobre a crise financeira (a de que foi causada pelos empréstimos e pelos gastos excessivos do Estado) diverge nitidamente do fato de que, da Islândia aos Estados Unidos, a causa decisiva foram os grandes bancos privados – para evitar a falência dos bancos, o Estado precisou intervir com quantidades gigantescas de dinheiro do contribuinte.

A forma habitual de negar o antagonismo e apresentar a própria posição como a representação do Todo é projetar a causa do antagonismo em um intruso es-

---

[4] Karl Marx, *O 18 de brumário de Luís Bonaparte*, cit., p. 142-3.

trangeiro que simbolize a ameaça à sociedade como tal, o elemento antissocial da sociedade, seu excesso de excremento. É por esse motivo que o antissemitismo não é apenas uma ideologia entre ideologias, mas a ideologia como tal, *kat'exochén* [por excelência]. Ele incorpora o nível zero (ou a forma pura) da ideologia, fornecendo suas coordenadas elementares: o antagonismo social ("luta de classes") é mistificado/deslocado de modo que sua causa seja projetada no intruso externo. A fórmula lacaniana "1+1+a" é mais bem exemplificada pela luta de classes: as duas classes mais o excesso dos "judeus", o *objeto a*, o suplemento do par antagônico. A função desse elemento suplementar é dupla: trata-se de uma recusa do antagonismo de classe, ainda que, precisamente como tal, ele represente esse antagonismo, impedindo eternamente a "paz das classes". Em outras palavras, se tivéssemos somente as duas classes (1+1), sem nenhum suplemento, não teríamos um antagonismo de classes "puro", mas a paz das classes: duas classes complementando-se em um todo harmonioso. O paradoxo, portanto, é que o próprio elemento que torna indistinta ou desloca a "pureza" da luta de classes serve como sua força motivadora. Sendo assim, os críticos do marxismo que afirmam que nunca existem apenas duas classes opostas na vida social não compreenderam a questão: *é exatamente porque nunca existem somente duas classes opostas que há luta de classes.*

Isso nos leva às mudanças que o "dispositivo de Napoleão III" sofreu no século XX. Em primeiro lugar, o papel específico dos "judeus" (ou seu equivalente estrutural) como o intruso estrangeiro que ameaça o corpo social ainda não foi completamente desenvolvido, e podemos mostrar com facilidade que os imigrantes estrangeiros são os judeus da atualidade, o principal alvo do novo populismo. Em segundo lugar, os "pequenos agricultores" do presente são a conhecida classe média. A ambiguidade da classe média, essa contradição encarnada (como já disse Marx a propósito de Proudhon), é mais bem exemplificada pelo modo como ela se relaciona com a política: por um lado, a classe média é contra a politização – ela só quer sustentar seu estilo de vida, poder trabalhar e viver em paz, e é por isso que apoia golpes autoritários que prometem acabar com a louca mobilização política da sociedade, para que todos possam voltar ao trabalho; por outro lado, os membros da classe média – na forma da ameaçada maioria moral trabalhadora e patriota – são os principais instigadores da mobilização em massa dos grupos de base na forma do populismo direitista, desde Le Pen na França e Geert Wilders na Holanda até o Tea Party nos Estados Unidos. Em terceiro lugar, como parte da passagem global do predomínio do discurso do mestre para o discurso da universidade, surgiu uma nova figura, a do *especialista* (tecnocrático, financeiro), que é supostamente capaz de governar (ou melhor, "administrar") de uma maneira pós-ideológica neutra, sem representar nenhum interesse específico.

Mas onde está o "suspeito usual" da análise marxista ortodoxa do fascismo, o grande capital (grandes corporações como a Krupp etc.) que "estava realmente por trás de Hitler" (essa *doxa* marxista ortodoxa rejeitou com violência a teoria de "classe média" de apoio a Hitler)? O marxismo ortodoxo está correto, mas da maneira errada: o grande capital *é* a suprema referência, a "causa ausente", mas exerce sua causalidade exatamente por meio da série de deslocamentos – ou, para citar a homologia precisa de Kojin Karatani com a lógica freudiana dos sonhos: "O que Marx enfatiza [em *O 18 de brumário*] não é o 'pensamento do sonho' – ou seja, as relações efetivas do interesse de classes – mas sim o 'trabalho do sonho', em outras palavras, as maneiras pelas quais o inconsciente é condensado e deslocado"[5].

No entanto, talvez devêssemos inverter a fórmula de Marx: não seriam os "pensamentos do sonho", e não os conteúdos, o que é representado de múltiplas maneiras pelos mecanismos descritos por Marx, e não seria a "vontade inconsciente", o Real da "Causa ausente", e não o interesse do grande Capital, o que sobredetermina esse jogo de múltiplas representações? O Real é ao mesmo tempo a Coisa a que é impossível termos acesso direto *e* o obstáculo que impede esse acesso direto; a Coisa que escapa a nossa apreensão *e* a tela deformadora que nos faz perder a Coisa. Em termos mais precisos, o Real é, em última análise, a própria mudança de perspectiva do primeiro para o segundo ponto de vista: o Real lacaniano não é apenas deformado, mas é *o próprio princípio de distorção da realidade*. Esse dispositivo é estritamente homólogo ao dispositivo freudiano da interpretação dos sonhos: para Freud, o desejo inconsciente em um sonho não é simplesmente o núcleo que nunca aparece de modo direto, deformado pela tradução no texto manifesto do sonho, mas o próprio princípio dessa distorção. É assim que, para Deleuze, em uma homologia conceitual estrita, a economia exerce o papel de determinar a estrutura social "em última instância": a economia nesse papel nunca é diretamente apresentada como um agente causal real, sua presença é puramente virtual, é a "pseudocausa" social, mas, precisamente como tal, a causa absoluta, não relacional, ausente, algo que nunca está "em seu próprio lugar": "eis por que o 'econômico', propriamente dito, nunca é dado, mas designa uma virtualidade diferencial a ser interpretada, sempre encoberta por suas formas de atualização"[6]. Ela é o X ausente que circula entre os múltiplos níveis do campo social (econômico, político, ideológico, legal...), *distribuindo-os em sua articulação específica*. Desse modo, poderíamos insistir na diferença radical entre o econômico enquanto X virtual – o ponto de referência absoluto do campo social – e o econômico em sua realidade – como um dos elementos ("subsistemas") da totalidade social real: quando encontram um ao outro, isto é, em termos hegelianos, quando o econômico virtual encontra na for-

---

5 Kojin Karatani, *History and Repetition* (Nova York, Columbia UP, 2011), p. 12. [Colchetes de Žižek.]

6 Gilles Deleuze, *Diferença e repetição* (2. ed., trad. Luiz Orlandi e Roberto Machado, Rio de Janeiro, Graal, 2006), p. 265.

ma de seu equivalente real a si mesmo em sua "determinação opositiva", essa identidade coincide com uma (auto)contradição absoluta.

Como afirma Lacan no *Seminário XI*: "Il n'y a de cause que de ce qui cloche", isto é, só há causa daquilo que tropeça/desliza/vacila[7] – uma tese cujo caráter obviamente paradoxal é explicado quando levamos em conta a oposição entre causa e causalidade: para Lacan, elas não são de maneira alguma a mesma coisa, pois uma "causa", no sentido estrito do termo, é exatamente algo que intervém nos pontos em que a rede de causalidade (a cadeia de causas e efeitos) vacila, quando há um corte ou uma lacuna na cadeia causal. Nesse sentido, para Lacan, a causa é, por definição, distante ("causa ausente", como se costumava dizer no jargão do afortunado "estruturalista" dos anos 1960 e 1970): ela age nos interstícios da rede causal direta. O que Lacan tem em mente aqui é especificamente o funcionamento do inconsciente. Imaginemos um lapso comum: em uma conferência sobre química, alguém fala da troca de fluidos, por exemplo; de repente, ele tropeça e comete um lapso, deixando escapar algo sobre a passagem do esperma na relação sexual... Um "atrator" do que Freud chamou de "outra cena" interveio como uma espécie de gravidade, exercendo sua influência invisível à distância, curvando o espaço de fluxo da fala, introduzindo uma lacuna. E talvez também devêssemos entender dessa maneira a infame fórmula marxista da "determinação em última instância": a instância sobredeterminante da "economia" também é uma causa distante, nunca uma causa direta, isto é, ela intervém nas lacunas da causalidade social direta.

Como então o "papel determinante da economia" funciona, se ele não é o referente último do campo social? Imaginemos uma luta política executada em termos de cultura da música popular, como no caso de alguns países pós-socialistas do Leste Europeu, em que a tensão entre o pseudofolk e o *rock* no campo da música popular funcionou como um deslocamento da tensão entre a direita nacionalista conservadora e a esquerda liberal. Em termos mais antiquados, a luta cultural popular "expressou" (ditou como) uma luta política (foi executada). (Como acontece hoje nos Estados Unidos entre a música *country* predominantemente conservadora e o *rock* predominantemente da esquerda liberal.) Seguindo o pensamento de Freud, não basta dizer que a luta na música popular foi apenas uma expressão secundária, um sintoma, uma tradução codificada da luta política, à qual tudo se referia afinal. As duas lutas têm substância própria: a luta cultural não é um fenômeno secundário, um campo de batalha de sombras que serão "decifradas" por sua conotação política (que, via de regra, é suficientemente óbvia).

[7] Ver Jacques Lacan, *The Four Fundamental Concepts of Psycho-Analysis* (Harmondsworth, Penguin, 1979) [ed. bras.: *Os quatro conceitos fundamentais da psicanálise*, trad. M. D. Magno, Rio de Janeiro, Zahar, 1988].

O "papel determinante da economia" não significa que, nesse caso, todo o estardalhaço "se refere afinal" à luta econômica, de modo que podemos imaginar a economia como uma metaessência oculta que, por conseguinte, "expressa-se" com uma distância duplicada numa luta cultural (ela determina a política que determina a cultura...). Pelo contrário, a economia insere-se no decorrer da própria tradução/transposição da luta política em luta cultural popular, no modo como essa transposição nunca é direta, mas sempre deslocada, assimétrica. A conotação de "classe" como codificada nos "modos de vida" culturais pode mudar muitas vezes a conotação política explícita – recordemos que, no famoso debate presidencial de 1959 que levou Nixon à derrota, o progressista Kennedy foi visto como um patrício da classe alta, ao passo que o direitista Nixon apareceu como um oponente de classe baixa. É óbvio que isso não significa que o segundo opositor simplesmente desvirtue o primeiro, ou que represente a "verdade" ofuscada pelo primeiro – isto é, que Kennedy, que se apresentou em suas declarações públicas como o oponente progressista liberal de Nixon, tenha mostrado no debate, pelas particularidades de seu estilo de vida, que ele era "realmente" um patrício da classe alta –, mas sim que o deslocamento é um testemunho da limitação do progressismo de Kennedy, ou seja, ele aponta para a natureza contraditória da posição política-ideológica de Kennedy. (E a mesma reversão acontece hoje, quando a oposição dos feministas da esquerda liberal e dos populistas conservadores também é percebida como oposição dos multiculturalistas e dos feministas da classe média alta aos caipiras das classes baixas.) E é aqui que entra a instância determinante da "economia": a economia é a causa ausente que explica o deslocamento na representação, a assimetria (reversão, nesse caso) entre as duas séries, o par política progressista e política conservadora e o par classe alta e classe média.

"Política", portanto, nomeia *a distância da economia de si mesma*, esse espaço é aberto pela lacuna que separa a economia enquanto Causa ausente e a economia em sua "determinação opositiva" enquanto um dos elementos da totalidade social: existe política *porque* a economia é "não toda", porque a economia é uma pseudocausa impassível e "impotente". Desse modo, a economia é duplamente inscrita aqui no sentido preciso que define o Real lacaniano: ela é o núcleo central "expresso" em outras lutas por meio de deslocamentos e outras formas de distorção e ao mesmo tempo o próprio princípio estruturador dessas distorções.

Em sua longa e tortuosa história, a hermenêutica social marxista baseou-se em duas lógicas que, embora muitas vezes se confundam no ambíguo termo "luta de classes econômica", são totalmente diferentes. Por um lado, há a famosa (e infame) "interpretação econômica da história": em última análise, todas as lutas (artísticas, ideológicas, políticas) são condicionadas pela luta econômica ("de classe"), que é o segredo a ser decifrado. Por outro lado, "tudo é político", isto é, a visão marxista da história é totalmente politizada: não há fenômenos sociais, ideológicos, culturais etc.

que não estejam "contaminados" pela luta política básica, e isso vale também para a economia: a ilusão do "sindicalismo" é de que a luta dos trabalhadores pode ser despolitizada, reduzida a uma negociação puramente econômica por melhores condições de trabalho etc. No entanto, essas duas "contaminações" – a economia determina tudo "em última instância" e "tudo é político" – não obedecem à mesma lógica. A "economia" sem o núcleo político ex-timo* ("luta de classes") teria sido uma matriz social de desenvolvimento positiva, assim como é na noção historicista-evolucionária (pseudo)marxista de desenvolvimento. Por outro lado, a política "pura", "descontaminada" da economia, não é menos ideológica: o economicismo vulgar e o idealismo político-ideológico são dois lados da mesma moeda. A estrutura aqui é a de um desvio para dentro: a "luta de classes" é política no próprio cerne da economia. Ou, em termos paradoxais, podemos reduzir todo o conteúdo político, jurídico e cultural à "base econômica", "decifrando-o" como sua "expressão" – tudo, *exceto* a luta de classes, que é a política na própria economia. (*Mutatis mutandis*, o mesmo vale para a psicanálise: todo o conteúdo sexual dos sonhos, *exceto* os sonhos explicitamente sexuais – por quê? Porque a sexualização de um contexto é formal, o princípio de sua distorção: pela repetição, pela abordagem oblíqua etc., cada tópico – inclusive a própria sexualidade – é sexualizado. A última lição propriamente freudiana é que a explosão das capacidades simbólicas humanas, muito mais do que apenas expandir o âmbito metafórico da sexualidade {atividades que, em si, são totalmente assexuadas podem se "sexualizar", tudo pode ser "erotizado" e começar a "querer dizer"}, *sexualiza a própria sexualidade*: a propriedade específica da sexualidade humana não tem nada a ver com a realidade imediata – um tanto estúpida – da cópula, inclusive os rituais preparatórios de acasalamento; é só quando a cópula animal é pega no círculo vicioso autorreferencial da pulsão, na repetição prolongada de sua incapacidade de atingir a Coisa impossível, que obtemos o que chamamos de sexualidade, isto é, a própria atividade sexual é sexualizada. Em outras palavras, o fato de a sexualidade poder se propagar e funcionar como conteúdo metafórico de todas as {outras} atividades humanas não é sinal de poder, mas, ao contrário, de impotência, fracasso, bloqueio inerente.) A luta de classes, portanto, é um termo mediador único que, ao mesmo tempo que ancora a política na economia (toda política é "em última análise" uma expressão da luta de classes), representa o momento político irredutível no próprio cerne da economia.

O que está na raiz desses paradoxos é o excesso constitutivo da representação sobre o representado, o que parece ter escapado a Marx. Isso quer dizer que, apesar de muitas análises perspicazes (como as de *O 18 de brumário*), Marx acabou

* Lacan faz uso de um neologismo para exprimir a articulação do interno com o externo: contrapõe o prefixo *ex* com a palavra *intime* (íntimo) e cria *ex-time* (ex-timo) para representar o que há de mais íntimo no sujeito e, não obstante, lhe é exterior. (N. T.)

reduzindo o Estado a um epifenômeno da "base econômica"; como tal, o Estado é determinado pela lógica da representação: que classe o Estado representa? O paradoxo aqui é que a omissão do próprio peso da máquina estatal deu origem ao Estado stalinista, que podemos chamar com razão de "socialismo de Estado". Depois da guerra civil que devastou e praticamente privou a Rússia de uma classe trabalhadora propriamente dita (a maioria dos trabalhadores morreu lutando na contrarrevolução), Lenin já havia se preocupado com o problema da representação do Estado: qual é agora a "base de classe" do Estado soviético? A quem ele representa, na medida em que pretende ser um Estado de classe trabalhadora, mas essa classe trabalhadora está reduzida a uma minoria absoluta? O que Lenin se esqueceu de incluir nessa série de possíveis candidatos ao papel foi *o próprio (aparato do) Estado*, uma potente máquina de milhões que detém todo o poder político-econômico: como na piada de Lacan ("Tenho três irmãos: Paulo, Ernesto e eu"), o Estado soviético representava três classes: os fazendeiros pobres, os trabalhadores e *a si próprio*. Ou, nos termos de István Mészáros, Lenin se esqueceu de considerar o papel do Estado *dentro* da "base econômica" como seu fator principal. Longe de impedir o crescimento de um Estado forte e tirânico, não submetido a mecanismos de controle social, essa desatenção abriu espaço para a força descontrolada do Estado: só quando admitirmos que o Estado representa tanto as classes sociais externas a ele quanto ele mesmo é que poderemos invocar a questão de quem conterá a força do Estado.

Thomas Frank[8] descreveu de modo hábil o paradoxo do conservadorismo populista dos Estados Unidos, cuja premissa básica é a lacuna entre os interesses econômicos e as questões "morais". Ou seja, a oposição econômica de classes (fazendeiros pobres e operários *versus* advogados, banqueiros e grandes empresas) é transposta/codificada na oposição entre os verdadeiros norte-americanos, cristãos, honestos e trabalhadores, e os liberais decadentes que tomam *latte*, dirigem carros importados, defendem o aborto e a homossexualidade, zombam do sacrifício patriótico, do estilo de vida simples e "provinciano" etc. Portanto, o inimigo é considerado o "liberal" que, por meio das intervenções federais (do transporte escolar à obrigatoriedade do ensino da evolução darwiniana e de práticas sexuais perversas), quer abalar o autêntico estilo de vida norte-americano. Logo, o principal interesse econômico é se livrar do Estado forte, que taxa a população trabalhadora para financiar suas intervenções reguladoras – o programa econômico mínimo é "menos impostos, menos regulamentos"... Da perspectiva-padrão da busca racional e esclarecida do interesse próprio, a inconsistência dessa postura ideológica é óbvia:

[8] Ver Thomas Frank, *What's the Matter with Kansas? How Conservatives Won the Heart of America* (Nova York, Metropolitan Books, 2004).

os conservadores populistas estão literalmente *elegendo a própria ruína econômica*. Desregulamentação e menos impostos significam mais liberdade para as grandes empresas que estão expulsando os fazendeiros empobrecidos do negócio; menos intervenção estatal significa menos ajuda federal para os pequenos agricultores etc. Aos olhos dos populistas evangélicos dos Estados Unidos, o Estado representa um poder alienígena e, ao lado da ONU, é um agente do Anticristo: ele acaba com a liberdade do crente, eximindo-o da responsabilidade moral de administrar, e por isso solapa a moralidade individualista que transforma cada um de nós em arquiteto da própria salvação. Como combinar isso com a explosão inaudita do aparelho do Estado sob o governo Bush? Não admira que as grandes empresas estejam satisfeitas em aceitar esses ataques evangélicos ao Estado, quando o próprio Estado tenta regular a fusão da mídia, impor restrições às empresas de energia, fortalecer as leis sobre a poluição atmosférica, proteger a vida selvagem e limitar a exploração dos parques nacionais etc. A grande ironia nessa história é que o individualismo radical serve de justificação ideológica para o poder irrestrito daquilo que a maioria dos indivíduos vivencia como uma força gigantesca e anônima que, sem um controle público democrático, regula suas vidas.

Quanto ao aspecto ideológico da luta, é mais do que óbvio que os populistas travam uma guerra que simplesmente *não pode ser vencida*: se os republicanos proibirem o aborto e o ensino da evolução, se impuserem uma regulação federal a Hollywood e à cultura de massa, isso significará não só sua derrota ideológica imediata, mas também uma ampla depressão econômica nos Estados Unidos. O resultado, portanto, é uma simbiose debilitante: por mais que discorde da agenda moral populista, a "classe dominante" tolera sua "guerra moral" como um meio de manter sob controle as classes mais baixas, isto é, permitir que elas expressem sua fúria sem perturbar seus interesses econômicos. Isso significa que a *guerra cultural é a guerra das classes* em modo deslocado – isso basta para aqueles que dizem que vivemos numa sociedade pós-classes...

No entanto, isso só torna o enigma mais impenetrável: como é *possível* esse deslocamento? "Estupidez" e "manipulação ideológica" não são respostas, ou seja, não é o bastante dizer que as primitivas classes mais baixas sofreram uma lavagem cerebral por parte do aparelho ideológico, de modo que agora são incapazes de identificar seus verdadeiros interesses. No mínimo, deveríamos lembrar que, há algumas décadas, Kansas foi o centro do populismo *progressista* nos Estados Unidos – e certamente o povo não ficou mais estúpido nas últimas décadas... Mas uma explicação "psicanalítica" direta, no velho estilo de Wilhelm Reich (os investimentos libidinosos levam as pessoas a agir contra seus interesses racionais), também não serviria: ela confronta de maneira muito direta a economia libidinal à economia propriamente dita, mas não consegue compreender a mediação entre elas. Também não basta propor a solução de Ernesto Laclau: não existe ligação "natural" entre determinada posição socioeconômica e a ideologia ligada a ela, de modo que não faz sentido falar de "engano" e "falsa consciência", como se houvesse um padrão de percepção ideológica "apropriada" inscrito na própria situação socioeconômica "objetiva"; todo o edifício ideológico é resultado de uma luta hegemônica para estabelecer/impor uma cadeia de equivalências, uma luta cujo resultado é totalmente contingente, não garantido por nenhuma referência externa, como "posição socioeconômica objetiva"... Numa resposta geral, o enigma simplesmente desaparece.

Aqui, a primeira coisa que devemos observar é que, para travar uma guerra cultural, são necessários dois: a cultura também é o assunto ideológico dominante dos liberais "esclarecidos", cuja política se concentra na luta contra o sexismo, o racismo e o fundamentalismo e a favor da tolerância multicultural. A questão é: por que a "cultura" está surgindo como categoria central do nosso mundo vivido? Com respeito à religião, nós já não "acreditamos realmente", simplesmente seguimos (alguns) rituais religiosos e costumes como parte do respeito pelo "estilo de vida" da comunidade à qual pertencemos (judeus não crentes obedecem às regras *kosher* "por respeito à tradição" etc.). A ideia do "não acredito realmente em nada disso, mas faz parte da minha cultura" parece ser o modo predominante da crença recusada/deslocada característica de nossa época. O que é um estilo de vida cultural, se não o fato de que, apesar de não acreditarmos em Papai Noel, todas as casas e todos os espaços públicos têm uma árvore de Natal no mês de dezembro? Talvez a noção "não fundamentalista" de "cultura" enquanto distinta da religião "real", da arte "real" etc., *seja*, em essência, o nome do campo das crenças repudiadas/impessoais – "cultura" nomeia todas as coisas que praticamos sem acreditar realmente nelas, sem "levá-las a sério".

A segunda coisa que devemos notar é que, embora professem sua solidariedade com os pobres, os liberais codificam a guerra cultural com uma mensagem de classes oposta: com muita frequência, sua luta pela tolerância multicultural e pelos direitos das mulheres marca a contraposição à intolerância, ao fundamentalismo e ao sexismo patriarcal das "classes mais baixas". Para resolver essa confusão é preciso concentrar-se nos termos mediadores, cuja função é encobrir as verdadeiras linhas de demarcação. A forma como o termo "modernização" é usado na recente ofensiva ideológica é exemplar aqui: primeiro, uma oposição abstrata é construída entre os "modernizadores" (os que endossam o capitalismo global em todos os seus aspectos, do econômico ao cultural) e os "tradicionalistas" (os que resistem à globalização). Assim, todos são lançados nessa categoria dos que resistem, desde conservadores tradicionais e direitistas populistas até a "velha esquerda" (os que continuam a defender o Estado de bem-estar social, os sindicatos...). Obviamente, essa categorização contém certos aspectos da realidade social – devemos recordar aqui a coalizão da Igreja com os sindicatos na Alemanha que, no início de 2003, impediu a legalização da abertura do comércio aos domingos. Mas não basta dizer que essa "diferença cultural" permeia todo o campo social, atravessa diferentes estratos e classes; não basta dizer que essa oposição pode ser combinada de diferentes maneiras com outras oposições (para conseguir uma resistência conservadora de "valores tradicionais" em relação à "modernização" capitalista global, ou conservadores moralistas que endossam inteiramente a globalização capitalista); em suma, não basta dizer que essa "diferença cultural" é uma na série de antagonismos em ação nos processos sociais de hoje. O fato de essa oposição não funcionar como chave para a totalidade social não significa que ela deva ser articulada a outras diferenças. Significa que ela é "abstrata", e a aposta do marxismo é que existe um antagonismo ("luta de classes") que sobredetermina todos os outros e que, como tal, é o "universal concreto" de todo o campo. O termo "sobredeterminação" é usado aqui no sentido althusseriano: não significa que a luta de classes seja o principal referente e o horizonte de significado de todas as outras lutas, mas que a luta de classes é o princípio estruturador que nos permite explicar a própria pluralidade "inconsistente" dos modos como os outros antagonismos podem ser articulados em "cadeias de equivalências". Por exemplo, a luta feminista pode ser articulada em cadeia com a luta progressista pela emancipação, ou pode funcionar (e certamente funciona) como uma ferramenta ideológica da classe média alta para afirmar sua superioridade em relação às classes mais baixas, "patriarcais e intolerantes". E a questão não é apenas que a luta feminista pode ser articulada de diferentes maneiras ao antagonismo de classes, mas que é como se o antagonismo de classes see inscrevesse aqui duplamente: ele é a constelação específica da própria luta de classes, o que explica por que a luta feminista foi apropriada pelas classes mais baixas. (O mesmo vale para o racismo: é a dinâmica da própria luta de classes que explica por que o racismo direto é forte entre os trabalhadores brancos das classes inferiores.) A luta de classes, aqui, é a "universalidade concreta" no sentido hegeliano estrito: ao se relacionar com sua alteridade (outros antagonismos), ela se relaciona consigo mesma, isto é, (sobre)determina o modo como se relaciona com outras lutas.

A terceira coisa que devemos notar é a diferença fundamental entre a luta feminista, antirracista, antissexista etc. e a luta de classes: no primeiro caso, o objetivo é traduzir o antagonismo em diferença (coexistência "pacífica" de sexos, religiões, grupos étnicos); já o objetivo da luta de classes é exatamente o oposto, ou seja, "agravar" a diferença de classes, tornando-a antagonismo de classe. O propósito da subtração é reduzir a estrutura complexa geral à sua mínima diferença "antagônica". Desse modo, o que a série raça-sexo-classe esconde é a diferente lógica do espaço político no caso da classe: enquanto as lutas antirracistas e antissexistas são guiadas pelos esforços em prol do pleno reconhecimento do outro, a luta de classes visa a superação e a subjugação do outro, ou mesmo sua aniquilação, embora não seja uma aniquilação física direta, a luta de classes visa a aniquilação da função e do papel sociopolítico do outro. Em outras palavras, embora seja lógico dizer que o antirracismo quer que todas as raças tenham condições de afirmar e desenvolver livremente suas aspirações culturais, políticas e econômicas, é óbvio que não faz sentido dizer que o objetivo da luta da classe proletária seja permitir que a burguesia afirme plenamente sua identidade e suas aspirações... No primeiro caso, temos a lógica "horizontal" do reconhecimento das diferentes identidades e, no segundo, temos a lógica da luta com um antagonista. O paradoxo aqui é que é o fundamentalismo populista que mantém essa lógica do antagonismo, ao passo que a esquerda liberal segue a lógica do reconhecimento das diferenças, de "aliviar" os antagonismos para que se tornem diferenças coexistentes: em sua própria forma, as campanhas de base populistas conservadoras assumiram a posição da esquerda radical de mobilização e luta popular contra a exploração das classes mais altas. Na medida em que, no atual sistema bipartidário dos Estados Unidos, o vermelho designa os republicanos e o azul, os democratas, e na medida em que os fundamentalistas populistas votam a favor dos republicamos, o antigo slogan anticomunista – "Better dead than red!" ["Antes morto que vermelho!"] – adquire um novo e irônico significado. A ironia está na inesperada continuidade da atitude "vermelha" da velha mobilização de base da esquerda na nova mobilização de base fundamentalista cristã[9].

[9] Os leitores familiarizados com meu trabalho perceberão que este capítulo contém passagens de vários de meus livros; a novidade é que, aqui, esses fragmentos se combinaram com uma teoria global dos impasses da representação ideológica-política.

3
O retorno da má Coisa étnica

Segundo Hegel, a repetição tem um papel preciso na história: quando algo acontece uma única vez, pode ser desconsiderado como mero acidente, como algo que poderia ser evitado se houvesse um melhor tratamento da situação; mas quando o mesmo evento se repete, é sinal de que estamos lidando com uma necessidade histórica mais profunda. Quando Napoleão sofreu sua primeira derrota, em 1813, pareceu que ele teve apenas um momento ruim; quando sofreu a segunda, em Waterloo, ficou claro que seu tempo havia acabado... O mesmo não vale para a atual crise financeira? Quando ela atingiu o mercado pela primeira vez, em setembro de 2008, pareceu um acidente que deveria ser corrigido por meio de regulações melhores etc.; agora que os sinais de um novo colapso financeiro começam a ganhar força, está claro que estamos lidando com uma necessidade estrutural.

Como podemos encontrar um caminho nessa situação confusa? Na década de 1930, Hitler apresentou o antissemitismo como uma explicação narrativa dos problemas vividos pelos alemães: desemprego, decadência moral, descontentamento social... Por trás disso tudo estariam os judeus, isto é, a evocação da "conspiração judaica" deixa tudo muito claro, porque provoca um simples "mapeamento cognitivo". O ódio que se tem hoje contra o multiculturalismo e a ameaça imigrante não funciona de maneira semelhante? Coisas estranhas estão acontecendo, há colapsos financeiros afetando nossa vida, mas são vivenciados como algo totalmente obscuro – e a rejeição do multiculturalismo introduz uma falsa clareza na situação: são os intrusos estrangeiros que estão perturbando nosso modo de viver... Há, portanto, uma interconexão entre a maré anti-imigração (que está aumentando nos países ocidentais e chegou ao auge com os assassinatos indiscriminados de Anders Behring Breivik) e a atual crise financeira: apegar-se à identidade étnica serve como um escudo contra o traumático fato de estarmos presos no redemoinho da abstração financeira não transparente – o verdadeiro "corpo estranho" que não pode ser assimilado é, em última instância, a máquina infernal autopropulsada do próprio capital.

Há coisas que deveriam nos fazer refletir sobre a autojustificação ideológica de Breivik e as reações a seu ato homicida. O manifesto desse "caçador de marxistas" cristão que matou mais de setenta pessoas em Oslo *não* corresponde às divagações de um lunático; é simplesmente uma exposição consequente da "crise da Europa", que serve como fundamento (mais ou menos) implícito para o populismo anti-imigração que vem surgindo – suas próprias inconsistências são sintomas das contradições internas dessa visão. A primeira coisa que chama de fato a atenção é o modo como Breivik constrói seu inimigo: ele combina três elementos (marxismo, multiculturalismo e islamismo), cada qual de um espaço político diferente (esquerda marxista radical, liberalismo multicultural e fundamentalismo islâmico). O velho costume fascista de atribuir características mutuamente excludentes ao inimigo ("conspiração bolchevique-plutocrática judaica", esquerda bolchevique radical, capitalismo plutocrático, identidade étnico-religiosa) é retomado aqui com um novo disfarce. Ainda mais sugestiva é a maneira como a autodesignação de Breivik embaralha as cartas da ideologia radical da direita. Breivik defende o cristianismo, mas é agnóstico: para ele, o cristianismo é apenas um constructo cultural para opor-se ao islã. Ele é antifeminista e pensa que as mulheres deveriam ser dissuadidas de seguir uma formação superior, mas defende uma sociedade "laica", apoia o aborto e declara-se a favor dos homossexuais. Além disso, Breivik combina características nazistas (inclusive nos detalhes, como a simpatia pelo sueco Saga, cantor *folk* pró-nazista) com aversão a Hitler: um de seus heróis é Max Manus, líder da resistência antinazista da Noruega. Breivik é mais anti-islamita do que racista: todo o seu ódio se volta contra a ameaça muçulmana. E por fim, mas não menos importante, Breivik é antissemita, mas pró-Israel, já que o Estado de Israel é a primeira linha de defesa contra a expansão muçulmana – e até quer que o Templo de Jerusalém seja reconstruído. Acredita que os judeus não são um problema, desde que sejam poucos – ou, como escreveu em seu "Manifesto", "Não existe um problema judeu na Europa ocidental (com exceção do Reino Unido e da França), pois temos apenas 1 milhão na Europa Ocidental, dos quais 800 mil moram na França e no Reino Unido. Por outro lado, os Estados Unidos, com mais de 6 milhões de judeus (600% mais do que a Europa), tem, de fato, um problema considerável com os judeus". A figura de Breivik materializa o supremo paradoxo do "nazissionista". Como isso é possível?

Uma indicação é dada pelas reações da direita europeia ao ataque de Breivik: o mantra da direita era que, mesmo condenando seu ato homicida, não deveríamos nos esquecer de que ele abordava "preocupações legítimas sobre problemas legítimos" – a política dominante não está conseguindo lidar com a corrosão da Europa provocada pela islamização e pelo multiculturalismo, ou, como diz o *Jerusalem*

Post, deveríamos aproveitar a tragédia de Oslo "como uma oportunidade para reavaliar seriamente as políticas de integração de imigrantes na Noruega e em outros lugares"[1]. (A propósito, seria interessante ouvir uma apreciação semelhante em relação aos atos terroristas dos palestinos, algo do tipo "esses atos terroristas deveriam servir como uma oportunidade para reavaliar a política israelense".) É óbvio que há uma referência implícita a Israel nessa avaliação: uma Israel "multicultural" não tem chance de sobreviver, o *apartheid* é a única opção realista. O preço desse pacto sionista-direitista é que, para justificar a reivindicação à Palestina, é preciso reconhecer retroativamente a linha argumentativa que foi usada antes, no início da história europeia, contra os judeus: o acordo implícito é que "estamos prontos para reconhecer sua intolerância com outras culturas em seu meio, desde que vocês reconheçam nosso direito de não tolerar palestinos entre nós". A trágica ironia desse acordo implícito é que, na história europeia dos últimos séculos, os judeus foram os primeiros "multiculturalistas": o problema era como sobreviver com a cultura judaica intacta em lugares onde outra cultura fosse predominante. (Aliás, devemos observar que, na década de 1930, em resposta direta ao antissemitismo nazista, Ernest Jones, o principal agente da "gentrificação" da psicanálise, engajou-se em estranhas reflexões sobre a porcentagem da população estrangeira que um organismo nacional pode suportar sem pôr em risco a própria identidade, aceitando com isso a problemática nazista.) No fim dessa estrada existe uma possibilidade extrema, que não deveria ser de modo algum desconsiderada: a possibilidade de um "pacto histórico" entre sionistas e fundamentalistas muçulmanos.

Mas *e se* estivermos entrando numa nova era em que esse novo raciocínio se imporá? E se a Europa tiver de aceitar o paradoxo de que sua abertura democrática é baseada na exclusão ("Não existe liberdade para os inimigos da liberdade", como afirmou Robespierre num passado distante)? Em princípio, isso é verdade, é claro, mas devemos ser muito específicos nesse ponto. De certo modo, Breivik escolheu bem o alvo: não atacou os estrangeiros, mas pessoas de sua própria comunidade que eram tolerantes demais com os estrangeiros intrusos. O problema não são os estrangeiros, mas nossa própria identidade (europeia). Embora a crise da União Europeia pareça uma crise econômico-financeira, ela é, em sua dimensão fundamental, uma crise *político-ideológica*: o fracasso dos referendos sobre a constituição da União Europeia alguns anos atrás foi um sinal claro de que os eleitores viam-na como uma união econômica "tecnocrática", sem nenhum projeto que pudesse mobilizar as pessoas – até os protestos recentes, a única ideologia capaz de mobilizá-las era a defesa anti-imigração da Europa.

[1] *The Jerusalem Post*, "Norway's Challenge", 24 jul. 2011. Disponível em: <http://www.jpost.com/Opinion/Editorials/Article.aspx?id=230788>.

Os recentes ataques homofóbicos nos Estados pós-comunistas do Leste Europeu deveriam servir como um momento de reflexão. No início de 2011, houve uma parada gay em Istambul, onde milhares de pessoas saíram às ruas em paz, sem nenhuma violência ou distúrbio; nas paradas gays realizadas na mesma época na Sérvia e na Croácia (Belgrado, Split), a polícia não foi capaz de proteger os participantes, que foram ferozmente atacados por milhares de fundamentalistas cristãos. *Esses* fundamentalistas, não a Turquia, representam a verdadeira ameaça ao legado europeu; assim, quando a União Europeia praticamente impediu a inclusão da Turquia, deveríamos ter feito a pergunta óbvia: que tal aplicar as mesmas regras ao Leste Europeu? (Sem falar no fato estranho de que a principal força por trás do movimento antigay na Croácia é a Igreja Católica, famosa por diversos escândalos envolvendo pedofilia.)

É crucial incluir o antissemitismo nessa série, ao lado de outras formas de racismo, sexismo, homofobia etc. Para fundamentar sua política sionista, o Estado de Israel está cometendo um erro catastrófico: decidiu subestimar, se não ignorar completamente, o chamado "velho" antissemitismo (tradicional europeu) e concentrar-se no "novo" e pretensamente "progressista" antissemitismo, disfarçado de crítica à política sionista do Estado de Israel. Nesse sentido, Bernard Henri-Lévy afirmou recentemente que o antissemitismo do século XXI será "progressista" ou não existirá. Levada às últimas consequências, essa tese nos obriga a voltar à velha interpretação marxista do antissemitismo como um anticapitalismo mistificado/deslocado (em vez de culpar o sistema capitalista, a fúria se concentra em um grupo étnico específico, acusado de corromper o sistema): para Henri-Lévy e seus partidários, o anticapitalismo de hoje é uma forma disfarçada de antissemitismo.

A proibição velada, mas não menos eficiente, de atacar o "velho" antissemitismo ocorre no exato momento em que o "velho" antissemitismo ressurge em toda a Europa, em especial no Leste Europeu pós-comunista. Podemos observar uma estranha aliança semelhante nos Estados Unidos: como os fundamentalistas cristãos norte-americanos – que são antissemitas por natureza, por assim dizer – podem apoiar apaixonadamente a política sionista do Estado de Israel? Há apenas uma solução para esse enigma: os fundamentalistas norte-americanos não mudaram, o que mudou foi o próprio sionismo, que, com sua aversão aos judeus que não se identificam plenamente com a política israelense, tornou-se paradoxalmente antissemita, isto é, construiu a figura do judeu que duvida do projeto sionista em linhas antissemitas. Israel, nesse caso, está fazendo um jogo perigoso: a *Fox News*, principal voz da direita radical nos Estados Unidos e defensora convicta do expansionismo israelense, teve de destituir do cargo seu apresentador mais popular, Glenn Beck, porque seus comentários estavam se tornando abertamente antissemitas[2].

---

[2] Outra figura nessa série de sionistas antissemitas é John Hagee, fundador e presidente nacional da organização cristã sionista Christians United for Israel [Cristãos Unidos por Israel]. Primeiro

O argumento sionista-padrão contra os críticos das políticas israelenses é que, obviamente, como qualquer outro Estado, o de Israel pode e deveria ser julgado e criticado, mas os críticos de Israel fazem mau uso da política israelense de crítica justificada para fins antissemitas. Quando os fundamentalistas cristãos e defensores incondicionais da política israelense rejeitam as críticas da esquerda às políticas israelenses, sua linha implícita de argumentação seria mais bem representada pelo maravilhoso cartum publicado em julho de 2008 no diário vienense *Die Presse*: ele mostra dois austríacos atarracados com jeito de nazista; um deles segura um jornal e comenta com o outro: "Veja só como um antissemitismo plenamente justificado é mal empregado para fazer uma crítica barata a Israel!". *Esses* são os aliados do Estado de Israel atualmente. Os críticos judeus do Estado de Israel são repetidamente tachados de judeus que odeiam a si próprios – no entanto, esses judeus que odeiam a si próprios não seriam aqueles que odeiam em segredo a verdadeira grandiosidade da nação judaica, precisamente os sionistas que estão compactuando com os antissemitas? Como chegamos a essa estranha situação?

Há uma maravilhosa piada dialética em *Ninotchka*, de Ernst Lubitsch: um homem entra em uma cafeteria e pede café sem creme; o garçom responde: "Desculpe, o creme acabou, só temos leite. Posso trazer café sem leite?". Em ambos os casos, o cliente receberia café puro, mas esse café é acompanhado a cada vez de uma negação diferente: primeiro café sem creme e depois café sem leite. Temos aqui a lógica da diferencialidade, em que a própria falta funciona como característica positiva. Esse paradoxo é muito bem expresso em uma velha piada iugoslava sobre um montenegrino (o povo de Montenegro era estigmatizado de preguiçoso na ex-Iugoslávia): "Por que o montenegrino coloca dois copos ao lado da cama, um cheio e um vazio, quando vai dormir? Porque é preguiçoso demais para pensar se terá sede ou não durante a noite...". O interessante nessa piada é que a própria ausência tem de ser positivamente registrada: não basta ter um copo cheio de água (se não tiver sede, o montenegrino vai simplesmente ignorá-lo), o próprio fato negativo tem de ser enfatizado pelo copo vazio, isto é, a água desnecessária tem de ser materializada pelo vazio do copo vazio.

---

item da agenda cristã conservadora (Hagee considera o Protocolo de Kyoto uma conspiração para manipular a economia dos Estados Unidos; em seu *best-seller Jerusalem Countdown*, o Anticristo é o cabeça da União Europeia), Hagee esteve em Israel 22 vezes e encontrou-se com todos os primeiros-ministros desde Begin. No entanto, apesar de suas professadas crenças "cristãs sionistas" e do apoio público ao Estado de Israel, Hagee fez declarações que soam antissemitas: culpou os próprios judeus pelo holocausto, declarou que a perseguição de Hitler foi um "plano divino" para levar os judeus a criar o moderno Estado de Israel, classificou os judeus liberais como "envenenados" e "espiritualmente cegos", admitiu que o ataque nuclear preventivo ao Irã – ataque que ele defende – levará à morte a maioria dos judeus em Israel. (Como curiosidade: ele diz em *Jerusalem Countdown* que Hitler provém de uma linhagem de "judeus mestiços, malditos e genocidas".)

Por que perder tempo com essas piadas dialéticas? Porque elas nos permitem apreender, em sua forma mais pura, como a ideologia funciona em nossa época supostamente pós-ideológica. Para detectar as famosas distorções ideológicas, é preciso perceber não só o que é dito, mas a interação complexa entre o que é dito e o que não é dito: o não dito está implícito no que é dito – queremos café sem creme ou café sem leite? Há um equivalente político dessas linhas: uma piada bastante conhecida na Polônia socialista conta que um consumidor entrou em uma loja e perguntou: "Você não deve ter manteiga, ou tem?". A resposta: "Desculpe, esta é a loja que não tem papel higiênico; a do outro lado da rua é a que não tem manteiga"! E o que dizer de uma cena que acontece no Brasil, onde pessoas de todas as classes dançam juntas nas ruas no Carnaval, obliterando por alguns instantes as diferenças de raça e classe? Mas obviamente não é a mesma coisa um desempregado se entregar à dança, esquecendo-se de suas preocupações com o sustento da família, e um rico banqueiro soltar-se e sentir-se bem porque é mais um no meio do povo, esquecendo-se de que talvez tenha recusado um empréstimo para um trabalhador pobre. Os dois são iguais na rua, mas o trabalhador dança sem leite e o banqueiro dança sem creme... A publicidade dá outro exemplo notável da ausência como fator determinante: com que frequência lemos nos rótulos dos produtos a frase "sem adição de açúcar" ou "sem conservantes ou aditivos" – isso sem falar de "sem calorias", "sem gordura" etc.? A armadilha é que, para cada "sem", temos de aceitar (conscientemente ou não) a presença de um "com" (Coca-cola sem calorias e sem açúcar? Sim, mas com adoçantes artificiais que representam um risco à saúde...).

O mesmo vale para a decepção depois de 1990: como diz o nome do movimento polonês, os manifestantes dissidentes queriam liberdade e democracia sem a implacável ausência capitalista de solidariedade, mas o que conseguiram foi exatamente liberdade e democracia sem solidariedade. E o mesmo vale para a reação crítica amplamente compartilhada à "orbanização" da Hungria. Quando um documento papal é classificado como *Urbi et Orbi* (para a cidade e para o mundo), isso significa que ele se dirige não só à cidade (de Roma), mas a todo o mundo católico. Enquanto a maioria dos críticos se limita ao *urbi*, negligencia a dimensão *orbi* dos atuais acontecimentos na Hungria. A história da "orbanização" da Hungria é conhecida: como tem maioria esmagadora no Parlamento húngaro, o partido populista de direita Fidesz, do primeiro ministro Viktor Orbán, tem o poder de emendar a Constituição; além disso, ele impôs novas regras que lhe permitem aprovar leis em apenas um dia, sem um debate substancial. E ainda está usando esse poder ao máximo, aprovando uma série de novas leis. As mais notórias são:

- A lei que qualifica o antigo partido comunista e seus sucessores como "organizações criminosas", tornando o partido socialista húngaro e seus líderes, coletiva e individualmente, responsáveis por todas as atividades criminosas dos partidos comunistas que existiram na Hungria;

• A nova lei da mídia cria um órgão de controle, com membros indicados pelo partido predominante no Parlamento. Todos os meios de comunicação serão obrigados a registrar-se para funcionar dentro da lei. O órgão poderá fixar multas de até 700 mil euros por "cobertura desequilibrada de notícias", por publicação de material que for considerado um "insulto" a determinado grupo ou à "maioria" ou que viole a "moralidade pública". Violações "grosseiras" podem resultar no cancelamento do registro. A lei também retira a proteção legal contra a transparência das fontes jornalísticas;

• A nova lei sobre a religião reconhece automaticamente apenas quatorze organizações religiosas, obrigando as demais (mais de trezentas, entre elas aquelas representativas de religiões mundiais, como budistas, hindus e muçulmanas) a passar por um difícil processo de registro. As organizações que solicitarem registro terão de provar que têm pelo menos cem anos de existência internacional ou vinte anos de atividade na Hungria; sua autenticidade e teologia serão avaliadas pela Academia Húngara de Ciências, pelo Comitê de Religiões e Direitos Humanos do Parlamento e, por fim, eleitas por 2/3 do Parlamento.

Poderíamos continuar essa lista até a mudança do próprio nome do Estado: não mais República da Hungria, mas simplesmente Hungria, a sagrada entidade étnica e apolítica. Essas leis foram amplamente criticadas dentro e fora do país como uma ameaça às liberdades europeias – o ex-embaixador dos Estados Unidos na Hungria chegou a sugerir, ironicamente, que esta precisava mais uma vez da rádio Free Europe. O paradoxo básico está na tensão entre conteúdo e forma. Embora sejam apresentadas (com respeito ao conteúdo) como leis antitotalitárias, quer dizer, embora o alvo aparente seja o que restou do regime comunista, o alvo verdadeiro são as liberdades liberais – essas leis são um verdadeiro ataque à Europa, uma verdadeira ameaça ao legado europeu. Os liberais não estão em posição de permitir-se a secreta e presunçosa satisfação de outros fazerem por eles o trabalho sujo de tirar de cena o resto "totalitário" (como os alemães conservadores, que apreciavam secretamente o modo como Hitler se livrava dos judeus, embora fossem contra o nazismo), pois não são apenas os próximos da fila: já estão na linha de frente.

É fácil apontar os obscenos absurdos dessas leis; por exemplo, na Hungria atual, os dissidentes que combateram o comunismo, mas hoje são fiéis ao legado democrata liberal, são tratados pelo partido dominante como cúmplices dos horrores do comunismo. No entanto, a presunçosa satisfação liberal é falsa também por outra razão: ela continua concentrada na *urbi* da Hungria, esquecendo-se de que a *orbi* do capitalismo global está implícita nela. Ou seja, além da condenação fácil do governo de Orbán, questiona-se: qual é a razão dessa inclinação do Leste Europeu pós-comunista por um populismo nacionalista de direita? Como pode um país como a (ex-República da) Hungria surgir do feliz capitalismo liberal global fukuyamista? Já na década de 1930, Max Horkheimer respondeu à crítica fácil do fascismo: quem não quer falar (criticamente) do capitalismo deveria se calar com relação ao fascismo. Hoje, diríamos: quem não quer falar (criticamente) da ordem mundial neoliberal deveria se calar com relação à Hungria.

Por quê? Devemos citar aqui *outra* lei promulgada recentemente pelo Parlamento húngaro, uma lei que costuma ser relacionada àquela mesma série de leis antidemocráticas: quando for aplicada, a nova lei dos bancos assistirá ao desaparecimento do Banco Central como instituição independente e dará ao primeiro-ministro poderes para nomear os vice-presidentes do Banco Central. Ela também aumentará o número de nomeados políticos para o conselho monetário que define as taxas de juros do país... A crítica a essa lei não dá um tom estranho à série de reprimendas democráticas? Da mesma maneira que Marx se referiu ironicamente ao lema capitalista como "liberdade, igualdade *e Bentham*", os críticos liberais ocidentais não querem impor à Hungria "liberdade, democracia *e bancos independentes*"?

O contexto econômico dessa última reprimenda é claro: "bancos independentes" é a forma abreviada de acatar as "medidas de austeridade" impostas pela União Europeia e pelo Fundo Monetário Internacional. A impressão que se cria é de que os direitos democráticos e a política econômica neoliberal são dois lados da mesma moeda – e não estamos longe da conclusão de que os que se opõem à política econômica neoliberal são também, "objetivamente", uma ameaça à liberdade e à democracia. Devemos rejeitar essa lógica de maneira inequívoca: não só as duas dimensões (democracia autêntica e economia neoliberal) são independentes uma da outra, como nas condições precisas de hoje a política democrática autêntica manifesta-se na oposição popular às medidas econômicas "neutras", aparentemente apolíticas e tecnocráticas. Mesmo no nível da política estatal, o controle das transações bancárias mostrou-se muitas vezes economicamente eficaz para dominar o efeito destrutivo da crise financeira. É claro que isso não justifica a política econômica do governo de Orbán – a ideia que deve ser defendida foi formulada em termos claros por Gáspár Miklós Tamás:

> Se a proteção das instituições democráticas caminha necessariamente ao lado do empobrecimento contínuo do povo húngaro *como resultado das medidas de austeridade impostas pela União Europeia e pelo Fundo Monetário Internacional*, não admira que os cidadãos húngaros mostrem pouco entusiasmo pela restauração da democracia liberal.[3]

[3] Gáspár Miklós Tamás, "Let us deal with Orbán". Disponível em: <http://www.presseurop.eu/en/content/article/1351841-let-us-deal-orban>.

Em outras palavras, não podemos desfrutar das duas coisas: um renascimento democrático *e* a política neoliberal da austeridade. O café do renascimento democrático só pode ser servido sem o creme do neoliberalismo econômico.

O caso da Hungria indica, portanto, a ambiguidade do sentimento antieuropeu. No início dos anos 2000, quando a Eslovênia estava prestes a se juntar à União Europeia, um dos nossos céticos em relação ao euro fez uma paráfrase sarcástica de uma piada dos irmãos Marx sobre como conseguir um advogado: "Nós, eslovenos, temos problemas? Vamos nos juntar à União Europeia! Teremos ainda mais problemas, mas a União Europeia cuidará deles!". É assim que muitos eslovenos entendem hoje a União Europeia: ela ajuda, mas também traz novos problemas (com suas multas e regulações, exigências financeiras para ajudar a Grécia etc.). Vale a pena defender a União Europeia? A verdadeira questão é, obviamente, *qual* União Europeia?

Há um século, G. K. Chesterton desenvolveu com clareza o impasse fundamental das críticas religiosas:

> Homens que começam a combater a Igreja por causa da liberdade e da humanidade acabam jogando fora a liberdade e a humanidade só para poder combater a Igreja. [...] Os secularistas não destruíram as coisas divinas, mas destruíram as coisas seculares, se isso serve de consolo para eles.*

O mesmo não se aplica aos próprios defensores da religião? Quantos defensores fanáticos da religião não começaram atacando ferozmente a cultura secular contemporânea e acabaram renunciando a qualquer experiência religiosa significativa? Do mesmo modo, muitos guerreiros liberais estão tão ansiosos para combater o fundamentalismo antidemocrático que acabam jogando fora a liberdade e a democracia, só para combater o terror. Se os "terroristas" estão disposto a destruir o mundo por amor a outro mundo, nossos guerreiros do terror estão dispostos a destruir seu próprio mundo democrático por ódio ao mundo muçulmano. Alguns prezam tanto a dignidade humana que estão prontos a legalizar a tortura – a derradeira degradação da dignidade humana – para defendê-la...

E o mesmo não se aplica também ao recente advento dos defensores da Europa contra a ameaça da imigração? Em seu zelo pela proteção do legado judaico-cristão, os novos zelotes estão dispostos a abandonar o verdadeiro cerne do legado cristão: todo indivíduo tem acesso imediato à universalidade (do Espírito Santo ou, hoje, dos direitos humanos e da liberdade); posso participar dessa dimensão universal de maneira direta, independentemente do lugar especial que ocupo na ordem social global. As "escandalosas" palavras de Cristo em Lucas não apontam para essa

* G. K. Chesterton, *Ortodoxia* (trad. Almiro Pisetta, São Paulo, Mundo Cristão, 2008), p. 228-30. (N. T.)

universalidade que ignora a hierarquia social? "Não pode ser meu discípulo aquele que vem a mim e não odeia a seu próprio pai, mãe, mulher, filhos, irmãos, irmãs e até a própria vida"[4]? As relações familiares representam aqui qualquer ligação social hierárquica ou étnica particular que determine nosso lugar na ordem global das Coisas. Portanto, o "ódio" imposto por Cristo não é o oposto do amor cristão, mas sua expressão direta: é o próprio amor que nos obriga a nos "desconectar" da comunidade orgânica na qual nascemos ou, como disse são Paulo, para o cristão não há homens ou mulheres, tampouco judeus ou gregos... Não há dúvida de que, para aqueles que se identificam plenamente com um modo particular de vida, a aparição de Cristo foi um escândalo ridículo ou traumático.

Mas o impasse da Europa é muito mais fundo. O verdadeiro problema é que a crítica da onda anti-imigração, em vez de defender esse núcleo precioso do legado europeu, limita-se basicamente ao ritual interminável de confessar os pecados da Europa, aceitar com humildade as limitações do legado europeu e celebrar a riqueza de outras culturas[5]. Desse modo, os famosos versos de "Second Coming" [A segunda vinda], de William Butler Yeats, parecem exprimir à perfeição as circunstâncias atuais: "Aos melhores falta convicção, ao passo que os piores estão repletos de apaixonada intensidade". Trata-se de uma excelente descrição da ruptura atual

---

[4] Lucas 14,26.

[5] Como esperado, o anverso dessa celebração esquerdista do Outro é muitas vezes um racismo muito mal disfarçado. Um exemplo desse racismo nos supostos "radicais" de esquerda em sua forma mais brutal, combinado a uma ignorância impressionante dos fatos, é dado por John Pilger: "A Iugoslávia era uma federação independente e multiétnica, embora imperfeita, que se manteve como uma ponte política e econômica na Guerra Fria. Isso não era aceitável para uma Comunidade Europeia em expansão, principalmente para a Alemanha recém-unificada, que começava a se voltar para o Leste a fim de dominar seu 'mercado natural' nas províncias iugoslavas da Croácia e da Eslovênia. Quando os europeus se encontraram em Maastricht em 1991, foi fechado um acordo secreto; a Alemanha reconheceu a Croácia, e a Iugoslávia foi condenada. Em Washington, os Estados Unidos garantiram que a esforçada economia iugoslava não conseguisse empréstimos do Banco Mundial, e a defunta Otan foi reinventada como mandante" (John Pilger, "Don't forget what happpened in Yugoslavia" [Não se esqueçam do que aconteceu na Iugoslávia], *New Statement*, 14 ago. 2008). (A propósito, a Eslovênia e a Croácia não eram "províncias", mas repúblicas soberanas autônomas, cujo direito à sucessão era reconhecido de maneira explícita pela Constituição Federal.) Mas Pilger foi além de seu próprio padrão de difamação com a caracterização abertamente racista de Kosovo como uma terra "que não tem economia formal e é governada de fato por gangues criminosas que traficam drogas e contrabandeiam mercadorias e mulheres" – nem mesmo a propaganda nacionalista padrão da Sérvia diria isso de maneira tão clara (embora, é claro, concordasse). Tamanha ignorância é bastante comum entre os quase esquerdistas que defendem a Iugoslávia – ainda me lembro do sorriso que dei quando li que, ao condenar os bombardeios da Otan à Sérvia, Michael Parenti manifestou indignação contra o ataque insensato à fábrica de automóveis Crvena Zastava, que, segundo ele, não produzia armas... Bem, eu mesmo, quando servi no Exército iugoslavo em 1975-1976, usava uma arma automática da Crvena Zastava!

entre os liberais anêmicos e os fundamentalistas fervorosos, entre os muçulmanos e nossos próprios cristãos. "Os melhores" já não são tão capazes de se engajar, ao passo que "os piores" se engajam no fanatismo racista, religioso e sexista. Como romper com esse impasse?

Um debate na Alemanha pode indicar a saída. Em 17 de outubro de 2010, a chanceler Angela Merkel declarou em um encontro de jovens de sua conservadora União Democrata Cristã: "Essa abordagem multicultural, que diz que simplesmente devemos viver lado a lado e sermos felizes uns com os outros, foi um completo fracasso". O mínimo que podemos dizer é que ela foi coerente, fazendo eco ao debate sobre a *Leitkultur* (cultura dominante) de alguns anos atrás, quando os conservadores insistiram que todo Estado é baseado em um espaço cultural predominante que deve ser respeitado pelos membros de outras culturas que vivem nesse mesmo espaço.

Em vez de bancar a bela alma que lamenta o recente surgimento de uma Europa racista, anunciado por essas declarações, deveríamos dirigir o olhar crítico para nós mesmos e perguntar até que ponto nosso próprio multiculturalismo abstrato não contribuiu para esse triste estado de coisas. Se todos os lados não compartilharem ou respeitarem a mesma civilidade, o multiculturalismo se transformará em ódio ou ignorância mútua, legalmente regulada. O conflito sobre o multiculturalismo já *é* um conflito sobre a *Leitkultur*: não é um conflito entre culturas, mas um conflito entre visões diferentes sobre como culturas diferentes podem e devem coexistir, sobre as regras e as práticas que essas culturas devem compartilhar, se quiserem coexistir.

Portanto, deveríamos tentar não nos prender ao jogo liberal do "quanta tolerância podemos tolerar" – devemos tolerar que eles não mandem seus filhos para as escolas públicas, que obriguem suas mulheres a se vestir e a se comportar de certa maneira, que façam casamentos arranjados para seus filhos, que agridam gays de sua própria comunidade? Nesse nível, é claro, nunca somos tolerantes o suficiente, ou sempre somos tolerantes demais, negligenciando os direitos das mulheres etc. A única maneira de sair desse impasse é propor um projeto positivo universal, compartilhado por todos os interessados, e lutar por ele. São muitas as lutas em que "não há homens ou mulheres, tampouco judeus ou gregos", desde a ecologia até a economia. Há alguns meses aconteceu um pequeno milagre na Cisjordânia ocupada: palestinas que se manifestavam contra o muro estavam acompanhadas de um grupo de judias lésbicas de Israel. A desconfiança mútua inicial foi desfeita no primeiro confronto com os soldados israelenses que guardavam o muro, e houve uma solidariedade sublime na forma de uma palestina em trajes tradicionais abraçada a uma lésbica judia de cabelo cor-de-rosa arrepiado – um símbolo vivo de como deveria ser nossa luta.

Talvez o esloveno cético em relação ao Euro tenha passado ao largo do problema, com seu sarcasmo de irmãos Marx. Em vez de perder tempo com a análise dos custos e dos benefícios de nossa participação na União Europeia, deveríamos nos concentrar no que ela representa de fato. Em seus últimos anos, Sigmund Freud demonstrou perplexidade diante da pergunta: o que quer uma mulher? Hoje, a questão é outra: o que quer a Europa? Na maioria das vezes, ela age como um regulador do desenvolvimento capitalista global; em outras, flerta com a defesa conservadora de sua tradição. Ambos os caminhos levam ao esquecimento, à marginalização da Europa. A única saída para esse impasse extenuante é que a Europa ressuscite seu legado de emancipação radical e universal. A missão é ir além da mera tolerância com os outros, buscar uma *Leitkultur* emancipadora positiva, que possa sustentar a coexistência autêntica e a fusão de culturas diferentes, e engajar-se na futura batalha a favor dessa *Leitkultur*. *Não apenas respeitar os outros, oferecer uma luta comum, porque hoje nossos problemas são comuns.*

4
Bem-vindo ao deserto da pós-ideologia

Durante uma visita recente à Califórnia, fui a uma festa na casa de um professor com um amigo esloveno, fumante compulsivo. Tarde da noite, meu amigo ficou desesperado e perguntou educadamente ao dono da casa se podia sair para fumar na varanda. Quando o anfitrião disse não (também educadamente), meu amigo sugeriu ir até a rua, e até isso foi negado pelo anfitrião, que afirmou que tal exibição do ato de fumar poderia prejudicar seu prestígio entre os vizinhos... Mas o que me surpreendeu foi que, depois do jantar, o anfitrião nos ofereceu drogas (não tão) leves, e fumar esse tipo de substância não causou nenhum problema – como se as drogas fossem menos perigosas que os cigarros.

Os impasses do consumismo contemporâneo fornecem um exemplo claro da distinção lacaniana entre prazer e gozo: o que Lacan chama de "gozo" (*jouissance*) é um excesso mortal sobre o prazer, isto é, seu lugar está além do princípio de prazer. Em outras palavras, o termo *plus-de-jouir* (mais-gozar ou excesso de gozo) é um pleonasmo, porque o gozo em si é excessivo, em oposição ao prazer, que, por definição, é moderado, regulado por uma medida apropriada. Portanto, temos dois extremos: de um lado, o hedonista iluminado que calcula com cuidado seus prazeres para prolongar a diversão e evitar danos; de outro, o *jouisseur* propriamente dito, pronto para consumar sua própria existência no excesso mortal do gozo – ou, nos termos da nossa sociedade, há, de um lado, o consumista que calcula seus prazeres, protegido de todos os tipos de tormentos e ameaças à saúde e, de outro, o viciado em drogas (ou fumante ou...), decidido a se destruir. O gozo é aquilo que não serve para nada, e o grande esforço da "permissiva" sociedade utilitarista hedonista contemporânea é incorporar esse excesso incontável e inexplicável no campo do contável e explicável. Seguindo essa linha, Lee Edelman desenvolveu uma noção de homossexualidade que envolve uma ética do "agora", da fidelidade incondicional à *jouissance*, da obediência à pulsão de morte, ignorando totalmente qualquer referência ao futuro ou ao envolvimento com o complexo prático das coisas mundanas. A homossexualidade representa, assim, a assunção profunda da negatividade da pulsão de morte, do afastamento da realidade para o real da "noite do mundo". Nessa mesma linha, Edelman opõe a ética radical da homossexualidade à obsessão predominante com a posteridade (isto é, os filhos): os filhos são o momento "patológico" que nos deixa cegos para as considerações pragmáticas e, por isso, nos compele a trair a ética radical da *jouissance*[1].

A primeira lição que tiramos disso é que deveríamos rejeitar a opinião do senso comum, segundo a qual, numa sociedade hedonista consumista, todos nós gozamos: a estratégia básica do hedonismo consumista iluminado é, ao contrário, privar o gozo de sua dimensão excessiva, de seu excesso perturbador, já que não serve para nada. O gozo é tolerado, até solicitado, mas com a condição de que seja saudável, não ameace nossa estabilidade psíquica ou biológica: chocolate sim, mas sem gordura; coca-cola sim, mas *diet*; café sim, mas sem cafeína; cerveja sim, mas sem álcool; maionese sim, mas sem colesterol; sexo sim, mas seguro... Estamos aqui no domínio do que Lacan chama de discurso da universidade, em oposição ao discurso do mestre: o mestre vai até o fim em sua consumação, não é coagido por considerações utilitárias insignificantes (por esse motivo, existe certa homologia formal entre o mestre aristocrata tradicional e um viciado em drogas, centrado no próprio gozo mortal), enquanto os prazeres do consumista são regulados pelo conhecimento científico propagado pelo discurso da universidade. O gozo descafeinado que se obtém é um semblante do gozo, não seu real, e é nesse sentido que Lacan fala sobre a imitação do gozo no discurso da universidade. O protótipo desse discurso é a multiplicidade de reportagens em revistas populares que defendem o sexo como algo benéfico à saúde: o ato sexual funciona como uma corrida, fortalece o coração, diminui a tensão, e até o beijo faz bem[2].

Lacan dá uma visão precisa de como funciona a proibição paternal:

> De fato, a imagem do Pai ideal é uma fantasia de neuróticos. Para além da Mãe [...] perfila-se a imagem de um pai que fecharia os olhos aos desejos. Mediante o que fica

---

1 Ver Lee Edelman, *No Future: Queer Theory and the Death Drive* (Durham, Duke University Press, 2005).

2 Uma celebração semelhante da vitalidade dessexualizada superabunda no stalinismo. Embora a mobilização stalinista durante o primeiro plano quinquenal visasse combater a sexualidade como o último reduto da resistência burguesa, isso não a impediu de tentar recuperar a energia sexual para revigorar a luta pelo socialismo: no início da década de 1930, uma grande variedade de "tônicos" foi amplamente promovida pela mídia soviética, batizados "Spermin-pharmakon", "Spermol" e "Sekar Fluid – Extractum testiculorum". Ver Andrey Platonov, *The Foundation Pit* (Nova York, NYRB, 2009), notas do tradutor, p. 206.

ainda mais acentuada do que revelada a verdadeira função do Pai, que é, essencialmente, unir (e não opor) um desejo à Lei.[3]

Ao proibir as escapadas do filho, o pai não só as ignora e tolera discretamente, mas também as solicita – como acontece na Igreja Católica, que faz vistas grossas para a pedofilia. Devemos fazer uma ligação desse *insight* com a crítica que Lacan faz de Hegel, para quem o senhor goza enquanto o escravo trabalha e é assim compelido a renunciar ao gozo; para Lacan, ao contrário, o único gozo são as migalhas deixadas pelo senhor, que faz vista grossa para as pequenas transgressões do escravo: "O gozo é fácil para o escravo e deixará o trabalho na servidão"[4]. Há uma anedota sobre Catarina, a Grande: quando lhe disseram que os escravos roubavam vinho e comida pelas costas dela, e até a enganavam, ela simplesmente sorriu, ciente de que atirar migalhas/sobras de gozo mantinha-os na posição de escravos. A fantasia do escravo é que ele só consegue as migalhas do gozo, enquanto o senhor goza em sua plenitude – mas, na realidade, o único gozo é o do escravo[5]. É nesse sentido que o Pai, como agente da proibição/lei sustenta o desejo/os prazeres: não existe acesso direto ao gozo, porque seu próprio espaço é aberto pelos vazios do olhar controlador do Pai. A prova negativa desse papel constitutivo do Pai de forjar o espaço para um gozo viável é o impasse da permissividade de hoje, em que o mestre/especialista não proíbe o gozo, mas o impõe ("sexo é saudável" etc.), sabotando-o assim de maneira eficaz. Na verdade, como disse Freud a Otto Bauer, seu amigo íntimo e uma das principais figuras do Partido Social-Democrata da Áustria (e irmão de Ida, a lendária "Dora"): "Não tente fazer os homens felizes, eles não merecem a felicidade"[6].

Parece haver uma exceção (ou melhor, duas) nesse feliz universo do gozo saudável: os cigarros (e, até certo ponto, as drogas). Por diversas razões (sobretudo ideológicas), revelou-se ser impossível "suprassumir" o prazer do fumo por um prazer saudável e útil: fumar continua sendo um vício fatal, e essa característica oblitera todas as outras (o cigarro pode fazer relaxar, ajuda a estabelecer contatos de amizade...). Percebe-se facilmente o fortalecimento dessa proibição no alerta obrigatório nos maços de cigarro. Anos atrás, costumávamos ter uma opinião neutra dos especialistas, como o alerta do Ministério da Saúde: "Fumar pode prejudicar seriamente a saúde". Recentemente, o tom se tornou mais agressivo, passando do discurso da universidade para uma injunção direta do mestre: "Fumar mata!" – um

[3] Jacques Lacan, *Escritos* (trad. Vera Ribeiro, Rio de Janeiro, Zahar, 1998), p. 839.

[4] Ibidem, p. 825.

[5] A melhor história sobre o prazer e a liberdade do escravo é, sem dúvida, *Jakob von Gunten*, de Robert Walser (Nova York, NYRB Classics, 1999) [ed. bras.: *Jakob von Gunten: um diário*, São Paulo, Companhia das Letras, 2011].

[6] Citado em Lisa Appignanesi e John Forrester, *Freud's Women* (Londres, Phoenix, 1992), p. 166 [ed. bras.: *As mulheres de Freud*, trad. Sofia de Souza e Nana Vaz, Rio de Janeiro, Record, 2010].

alerta claro de que o gozo em excesso é letal. Além disso, o alerta se tornou cada vez mais abrangente e vem acompanhado de fotos explícitas de pulmões escurecidos por causa do alcatrão etc.

O melhor indicador desse novo status do ato de fumar é, como sempre, Hollywood. Depois da dissolução gradual do código Hays a partir do fim da década de 1950, quando todos os tabus (homossexualidade, sexo explícito, drogas etc. etc.) foram suspensos, um desses tabus não só sobreviveu, como impôs uma nova proibição, uma espécie de substituição para a multiplicidade de proibições do antigo código Hays: o fumo. Na Hollywood clássica das décadas de 1930 e 1940, fumar na tela era absolutamente normal e até funcionava como uma das melhores técnicas de sedução (lembremos aqui de *Uma aventura na Martinica*, em que Laureen Bacall pede fogo a Humphrey Bogart); hoje, as raras pessoas que fumam nas telas são terroristas árabes e outros criminosos ou anti-heróis, e cogita-se até apagar digitalmente os cigarros dos antigos clássicos. Essa nova proibição indica uma mudança no status da ética: o código Hays concentrava-se na ideologia, na imposição de códigos sexuais e sociais, ao passo que a nova ética se concentra na saúde: ruim é o que ameaça nossa saúde e nosso bem-estar[7].

É sintomático aqui o papel ambíguo do cigarro eletrônico, que funciona como açúcar sem açúcar: um dispositivo eletrônico simula o ato de fumar tabaco, produzindo uma névoa inalável que dá a sensação física, a aparência e, muitas vezes, o sabor e o teor de nicotina da fumaça de tabaco – embora sem odor e sem riscos à saúde. Quase todos os cigarros eletrônicos são dispositivos cilíndricos, completos e portáteis, do tamanho de uma caneta esferográfica, feitos para lembrar charutos ou cigarros de verdade. Algumas vezes, são proibidos em aviões, porque revelam um comportamento vicioso; em outras, são vendidos nos próprios aviões. É difícil classificar e regulamentar o cigarro eletrônico: ele é em si uma droga ou um medicamento?

Mas quem é esse Outro cujo "comportamento vicioso" – em suma, cuja exibição de um gozo excessivo – tanto nos perturba? Nada mais do que aquilo que chamamos, na tradição judaico-cristã, de Próximo. Por definição, o próximo assedia, e "assédio" é mais uma daquelas palavras que, embora pareça se referir a um fato claramente definido, funciona de uma maneira profundamente ambígua e perpetra uma mistificação ideológica. Ou seja, qual é a lógica interna do que é percebido ou vivenciado como "assédio sexual"? É a própria assimetria da sedução, o desequilíbrio entre desejo e objeto desejado – em cada estágio de uma relação erótica, só é permitida reciprocidade contratual com acordo mútuo. Assim, a relação sexual

---

[7] Baseio-me aqui em Jela Krečič, *Philosophy, Film Fantasy* (tese de doutorado, Universidade de Liubliana, 2008).

é dessexualizada e torna-se um "trato", no sentido de troca comercial equivalente entre parceiros livres e iguais, na qual a mercadoria trocada é o prazer. A expressão teórica desse aumento do prazer é a mudança de Freud/Lacan para Foucault: da sexualidade e do desejo para os prazeres dessexualizados, que lutam para alcançar o extremo do real cru. A expansão explosiva da pornografia na mídia digital é um exemplo dessa dessexualização do sexo: ela promete oferecer "cada vez mais sexo", mostrar tudo, mas o que nos dá é o vazio e a pseudossatisfação infinitamente reproduzidos, isto é, mais e mais do real cru, desde o *fisting* extremo (prática sexual predileta de Foucault) até o *snuff* direto. A única satisfação que o sujeito pode ter com essa redução da sexualidade à exibição ginecológica da interação dos órgãos sexuais é a idiota *jouissance* masturbatória[8].

O aumento do politicamente correto e o da violência são, portanto, dois lados da mesma moeda: na medida em que a premissa básica do politicamente correto é a redução da sexualidade ao consentimento mútuo contratual, Jean-Claude Milner estava certo em apontar que o movimento pelos direitos dos homossexuais atinge inevitavelmente seu clímax nos contratos que estipulam formas de sexo sadomasoquista (tratar alguém como um cachorro preso a uma coleira, troca de escravos, tortura e até assassinato consentido)[9]. Nessas formas de escravidão consensual, a liberdade de mercado do contrato suprassume a si mesma: a troca de escravos torna-se a maior afirmação da liberdade. É como se o tema de "Kant com Sade" se tornasse realidade de maneira inesperada.

Portanto, duas coisas são certas. Em primeiro lugar, se Thomas de Quincey reescrevesse hoje as primeiras linhas de seu famoso ensaio *Do assassinato como uma das belas-artes**, ele com certeza teria substituído a última palavra (procrastinação): "Se um homem se permite assassinar, logo depois começa a dar menos importância a roubar; e de roubar ele passa a beber e a não respeitar o dia de descanso, e depois passa à incivilidade *e a fumar em público*". Em segundo lugar, o problema subjacente aqui é amar o próximo – como de costume, G. K. Chesterton acerta em cheio: "A Bíblia nos diz para amar ao próximo e aos inimigos, provavelmente porque são a mesma pessoa". Mas o que acontece quando esses próximos problemáticos contra-atacam?

---

8 Baseio-me aqui em Serge André, *No sex, no future* (Paris, La Muette, 2010), p. 45-51. Um documentário francês lançado no início de 2012 com o título lacaniano *Il n'y a pas de rapport sexuel* (Raphaël Siboni), é muito mais do que um "making of" de um filme pornô explícito: ao acompanhar a uma distância mínima as gravações do filme, ele dessexualiza inteiramente a cena, apresentando a atuação explícita como um trabalho triste e repetitivo: o falso prazer do êxtase, a masturbação fora de cena para manter a ereção, o fumo nos intervalos... O procedimento aumenta a angústia.

9 Jean-Claude Milner, *Clartés de tout* (Paris, Verdier, 2011), p. 98.

* Trad. Henrique de Araújo Mesquita, Porto Alegre, L&PM, 1985. (N. E.)

Embora os distúrbios no Reino Unido em 2011 tenham sido desencadeados pela morte suspeita de Mark Duggan, é comumente aceito que eles exprimem um desconforto mais profundo. Mas que tipo de desconforto? Assim como os carros incendiados nos subúrbios de Paris em 2005, os manifestantes do Reino Unido não tinham nenhuma mensagem para transmitir. É patente aqui o contraste com as grandes manifestações estudantis realizadas em novembro de 2010, que também caíram na violência, mas tinham uma mensagem (a rejeição da reforma do ensino superior). Por isso é difícil conceber os distúrbios no Reino Unido nos termos marxistas do sujeito revolucionário em desenvolvimento; eles se enquadram muito mais na noção hegeliana de "populacho", aquelas pessoas que estão fora do espaço social organizado, são impedidas de participar da produção social e expressam seu descontentamento somente na forma de explosões "irracionais" de violência destrutiva, o que Hegel chamou de "negatividade abstrata". Talvez a verdade oculta de Hegel, de seu pensamento político, seja esta: quanto mais uma sociedade forma um Estado racional bem organizado, maior é o retorno da negatividade abstrata da violência "irracional".

As implicações teológicas dessa verdade oculta são inesperadamente extensas: e se o principal destinatário do mandamento bíblico de "não matar" for o próprio Deus (Jeová), e nós, frágeis seres humanos, formos seu próximo exposto à fúria divina? Com que frequência encontramos no Velho Testamento um estrangeiro misterioso que invade brutalmente as vidas humanas e espalha a destruição? Quando Levinas escreveu que nossa primeira reação ao ver o próximo é matá-lo, ele não queria dizer que essa reação se refere originalmente à relação de Deus com os seres humanos, de modo que o mandamento de "não matar" seja um apelo para que Deus controle sua fúria? Na medida em que a solução judaica é um Deus morto, um Deus que sobrevive apenas como "letra morta" do livro sagrado, da Lei que deve ser interpretada, o que morre com a morte de Deus é precisamente o Deus do real, da vingança e da fúria destrutiva. Sendo assim, a ideia de que Deus morreu em Auschwitz, repetida por escritores e pensadores, de Elie Wiesel a Philippe Lacoue-Labarthe, tem de ser invertida: Deus tornou-se vivo em Auschwitz. Lembremos aqui de uma história do Talmude sobre dois rabinos que discutem uma questão teológica: o rabino que está perdendo a discussão roga para que Deus apareça e decida a questão; quando Deus aparece de fato, o outro rabino diz que seu trabalho de criação já havia sido feito e que, por isso, ele não tinha mais nada a dizer e devia ir embora, o que Deus faz. É como se, em Auschwitz, Deus tivesse voltado, trazendo com ele consequências catastróficas. O verdadeiro horror não acontece quando somos abandonados por Deus, mas quando Deus se aproxima muito de nós.

Há uma velha história sobre um operário suspeito de roubar: toda noite, ao sair da fábrica, o carrinho de mão que ele carrega é cuidadosamente inspecionado. Os guardas não encontram nada, porque o carrinho está sempre vazio. Mas em dado momento a ficha cai: o operário rouba os próprios carrinhos de mão...

Os guardas que verificavam o conteúdo dos carrinhos deixaram escapar a mesma questão óbvia que os analistas que tentam encontrar um significado oculto nos motins. Dizem que os eventos de 1990 – a desintegração dos regimes comunistas – marcaram o fim da ideologia: chegamos ao fim da era dos grandes projetos ideológicos, cuja realização termina em catástrofes totalitárias, e entramos em uma nova era da política racional, pragmática etc. Contudo, se o insistente lugar-comum de que vivemos em uma era pós-ideológica tiver algum sentido, é aqui, nas violentas explosões que vem acontecendo, que esse sentido é perceptível. Os manifestantes não fazem nenhuma exigência particular: o que temos é um protesto de nível zero, um ato de protesto violento que não exige nada. Há uma ironia em observarmos sociólogos, intelectuais e comentadores tentando entender e ajudar. De maneira desesperada, eles tentaram atribuir sentido aos atos de protesto e, nesse processo, ofuscaram o principal enigma apresentado pelos motins.

Os manifestantes, embora desfavorecidos e excluídos *de facto*, não viviam de maneira alguma à beira da inanição nem haviam chegado ao ponto de mal conseguir sobreviver. Pessoas que passam por dificuldades materiais muito piores, sem contar as condições de opressão física e ideológica, conseguiram se organizar como agentes políticos com agendas claras. O fato de não existir um programa é em si algo que deve ser interpretado e que nos diz muito sobre nossa condição político-ideológica: que tipo de universo é este que habitamos que celebra a si mesmo como uma sociedade de escolha, mas no qual a única alternativa disponível ao consenso democrático imposto é uma ação cega? O triste fato de que uma oposição ao sistema não possa se articular na forma de uma alternativa realista, ou pelo menos de um projeto utópico significativo, mas somente na forma de uma explosão sem sentido, é uma acusação grave à nossa condição. De que serve nossa famosa liberdade de escolha quando a única escolha que temos é entre as regras e a violência (auto)destrutiva?

Alain Badiou considera que vivemos em um espaço social experimentado pouco a pouco como "sem mundo": nesse espaço, a única forma que o protesto pode assumir é a violência desprovida de sentido. Até mesmo o antissemitismo nazista, por mais desagradável que tenha sido, inaugurou um mundo: ele descreveu sua situação crítica postulando um inimigo, a "conspiração judaica"; deu nome a um objetivo e aos meios de atingi-lo. O nazismo descortinou a realidade de tal maneira que permitiu a seus sujeitos adquirir um mapeamento cognitivo global, que incluía um espaço para o engajamento sem sentido. Talvez devamos situar aqui um dos principais perigos do capitalismo: embora seja global e abranja o mundo inteiro, ele sustenta uma constelação ideológica "sem mundo" *stricto sensu*, privando a maior parte do povo de qualquer mapeamento cognitivo significativo. O capitalismo é a primeira ordem socioeconômica que *destotaliza o significado*: ele não é global no nível do significado. Não há, afinal, uma "visão capitalista" global, uma "civilização capitalista" propriamente dita: a lição fundamental da globalização é precisamente que o capitalismo pode se acomodar a todas as civilizações, dos cristãos aos hindus e budistas, do Ocidente ao Oriente. A dimensão global do capitalismo só pode ser formulada no nível da verdade sem significado, como o real do mecanismo de mercado global.

É por isso que as reações aos tumultos no Reino Unido, tanto as conservadoras quanto as liberais, fracassaram nitidamente. A reação conservadora era previsível: não há justificativa para esse vandalismo, deveríamos usar todos os meios necessários para restabelecer a ordem, e, para evitar outras explosões desse tipo, não são necessárias mais tolerância e ajuda social, mas sim mais disciplina, trabalho duro e senso de responsabilidade... O que é falso nessa explicação é não só o fato de que ela negligencia a situação social desesperadora que leva os jovens a cometer esses ataques violentos, mas também, e talvez acima de tudo, a maneira como tais ataques refletem as premissas secretas da própria ideologia conservadora. Na década de 1990, quando os conservadores deram início à campanha da "volta ao básico", seu complemento obsceno foi indicado de modo muito claro por Norman Tebbitt, que "jamais teve vergonha de expor os segredos sujos do inconsciente conservador"[10]: "O homem não é só um animal social, ele também é territorial; deve fazer parte da nossa agenda satisfazer aqueles instintos básicos de tribalismo e territorialidade". É disso que se trata, na verdade, a "volta ao básico": a reafirmação dos "instintos básicos" bárbaros por trás do semblante de sociedade burguesa civilizada. Será que não encontramos nos ataques violentos esses mesmos "instintos básicos" – não das camadas inferiores e desfavorecidas, mas da própria ideologia capitalista hegemônica? Na década de 1960, para explicar a "revolução sexual", a suspensão dos obstáculos tradicionais à sexualidade livre, Herbert Marcuse apresentou o conceito de "dessublimação repressiva": as pulsões humanas podem ser dessublimadas, destituídas de sua cobertura civilizada, e ainda assim manter seu caráter "repressivo". Esse tipo de "dessublimação repressiva" não seria o que vemos hoje nas ruas do Reino Unido? Ou seja, o que vemos lá não são homens reduzidos a "feras naturais", mas a "fera natural" historicamente específica, produzida pela própria ideologia capitalista hegemônica, o nível zero do sujeito capitalista. No *Seminário XVIII* (*Le savoir du psychanalyste*, 1970-71, inédito), Lacan brinca com a ideia de um discurso capitalista específico (ou discurso do capitalista), que é o mesmo discurso do mestre, mas no qual a primeira dupla (esquerda) troca de lugar: $ ocupa o lugar do agente, e o significante-mestre ocupa o da verdade:

$$\frac{\$}{S_1} \qquad \frac{S_2}{a}$$

[10] Ver Jacqueline Rose, *States of Fantasy* (Oxford, Oxford University Press, 1996), p.149.

As linhas de conexão continuam as mesmas do discurso do mestre ($ – *a*, S_1 – S_2), mas agora estão dispostas em diagonal: embora o agente seja o mesmo do discurso da histérica – o sujeito (dividido) –, ele não se dirige ao mestre, mas ao mais-gozar, ao "produto" da circulação capitalista. Assim como no discurso do mestre, aqui o "outro" é o saber do escravo (ou, cada vez mais, o saber científico), dominado pelo verdadeiro mestre, o capital em si[11].

A violência nos subúrbios do Reino Unido não pode ser explicada simplesmente pela pobreza e pela falta de perspectivas sociais. Devemos acrescentar a isso a dissolução crescente da família e de outros elos sociais, bem como o fascínio dos indivíduos por aquilo que o último Lacan batizou com o neologismo *les lathouses*, *objects-gadgets* [dispositivos-objetos] de consumo que atraem a libido com a promessa de proporcionar prazer excessivo, mas que, na verdade, reproduzem somente a própria falta. É assim que a psicanálise aborda o impacto subjetivo libidinal das novas invenções tecnológicas: "A tecnologia é um catalisador, amplia e melhora algo que já existe"[12] – nesse caso, o fato fantasmático virtual, como o de um objeto parcial. E, é claro, essa realização muda toda a constelação: quando uma fantasia é realizada, quando um objeto fantasmático aparece diretamente na realidade, esta já não é mais a mesma. Basta pensar nos dispositivos sexuais: hoje, encontramos no mercado o chamado "Stamina Training Unit", um instrumento de masturbação semelhante a uma lanterna (para não causar constrangimento quando transportado): coloca-se o pênis ereto no orifício situado na ponta do objeto e ele é movimentado para cima e para baixo até que se atinja a satisfação... O produto é encontrado em diferentes cores, ajustes e formas, imitando as três aberturas para penetração sexual (boca, vagina e ânus). O que se compra, nesse caso, é simplesmente o objeto parcial (zona erógena) sozinho, desprovido do fardo adicional e constrangedor da pessoa como um todo. A fantasia (de reduzir o parceiro sexual a um objeto parcial) é diretamente realizada, e isso muda toda a economia libidinal das relações sexuais. Quanto à forma de subjetividade que se enquadra nessa constelação, devemos começar com "O estrangeiro", um famoso poema em prosa de Baudelaire:

> – A quem você ama mais, homem enigmático, me diga: seu pai, sua mãe, sua irmã ou seu irmão?
> – Não tenho pai, nem mãe, nem irmã, nem irmão.
> – Seus amigos?
> – O senhor está utilizando uma palavra cujo sentido até hoje é desconhecido para mim.
> – Sua pátria?
> – Ignoro sob qual latitude está situada.

---

[11] Ver Nestor Braunstein, "Le discours capitaliste: 'cinquième discours'?", *Savoirs et Clinique*, n. 14, out. 2011, p. 94-100.

[12] Mladen Dolar, "Telephone and Psychoanalysis", *Filozofski vestnik*, n. 1, 2008, p. 12 (em esloveno).

– A beleza?
– Eu a amaria com prazer, deusa e imortal.
– O ouro?
– Eu o odeio como o senhor odeia a Deus.
– Ei! O que é então que você ama, extraordinário estrangeiro?
– Amo as nuvens... as nuvens que passam... lá, lá adiante... as maravilhosas nuvens!*

Esse "homem enigmático" não seria o retrato de um fanático aficionado pela internet? Sozinho diante da tela, ele não tem nem pai, nem mãe, nem país, nem deus – tudo de que precisa é de uma nuvem digital à qual esteja conectado seu *modem*. O resultado final dessa atitude é, obviamente, que o próprio sujeito se transforma em uma "nuvem de calças", que evita o contato sexual como algo demasiado intrusivo. Em 1915, quando entrou em um vagão de trem, Vladimir Maiakóvski descobriu que só havia mais um passageiro no vagão: uma moça. Para tranquilizá-la, ele se apresentou: "Não sou um homem, mas uma nuvem de calças". Ao dizer essas palavras, percebeu que a expressão era perfeita para um poema, e então escreveu sua primeira obra-prima, "Uma nuvem de calças"[13]:

Serei agora um homem sem missão,
algo mais molhado
e macio
– uma nuvem de calças!**

De que modo essa "nuvem de calças" faz sexo? Um anúncio publicitário na revista *Hemispheres*, da United Airlines, começa assim: "Talvez esteja na hora de terceirizar... seus encontros". E continua: "As pessoas contratam profissionais para cuidar de inúmeros aspectos da vida. Por que não contratar um profissional para ajudá-lo a encontrar alguém especial? Somos especializados em encontros românticos – é o que fazemos dia e noite"[14]. Por que não seguir nessa direção até o fim, e depois de terceirizar o trabalho manual (e grande parte da poluição) para os países de Terceiro Mundo, depois de terceirizar (em grande parte) a tortura para os ditadores (cujos torturadores são provavelmente treinados por especialistas norte-americanos ou chineses), depois de terceirizar nossa vida política para especialistas em administração (cada vez menos à altura da própria tarefa, como mostram os imbecis que concorrem às primárias do Partido Republicano), de-

---

* Baudelaire, *Pequenos poemas em prosa* (trad. Dorothée de Bruchard, São Paulo, Hedra, 2007), p. 37. (N. T.)

[13] Essa história é citada em: <http://cloud-in-trousers.blogspot.com/2005/04/vladimir-mayakovsky.html>.

** Versão em português baseada na tradução de Augustus Young para o inglês: "No longer a man with a mission,/ something wet/ and tender/ – a cloud in pants". (N. E.)

[14] *Hemispheres*, jul. 2011, p. 135.

veríamos pensar em terceirizar o próprio sexo? Por que nos expor ao esforço da sedução com todas as suas situações potencialmente embaraçosas? Depois que eu e uma moça concordamos em transar, cada um de nós escolhe um substituto mais jovem, de modo que, enquanto o casal faz amor (ou, mais exatamente, enquanto nós dois fazemos amor por intermédio deles), podemos conversar e tomar uma bebida tranquilamente e, em seguida, ir cada um para seu canto para descansar ou ler um livro. Depois desse distanciamento, a única maneira de se reconectar com a realidade é, obviamente, a violência bruta.

Enquanto isso, os liberais de esquerda, não menos previsíveis, atêm-se ao mantra dos programas sociais negligenciados e dos esforços de integração, que privaram a geração mais jovem de imigrantes de quaisquer perspectivas econômicas e sociais: ataques violentos são a única maneira de expressar seu descontentamento. Em vez de nos entregarmos a fantasias de vingança, deveríamos nos esforçar para entender as causas profundas dos ataques violentos: podemos imaginar o que é ser um jovem pobre, morador de um subúrbio em que as raças se misturam, *a priori* suspeito e acossado pela polícia, vivendo na mais profunda pobreza e em famílias arruinadas, não só desempregado, mas muitas vezes inempregável, sem nenhuma esperança de futuro? Os motivos que têm levado as pessoas às ruas ficam claros no momento que levamos tudo isso em conta... O problema dessa explicação é que ela menciona apenas as condições objetivas dos motins e ignora sua dimensão subjetiva: amotinar-se é fazer uma afirmação subjetiva, é declarar implicitamente como nos relacionamos com nossas condições objetivas, como as subjetivamos. Vivemos numa era de cinismo, em que podemos facilmente imaginar um manifestante que, quando é pego saqueando e ateando fogo a uma loja e é pressionado a confessar as razões de tanta violência, começa a falar como um assistente social, um sociólogo ou um psicólogo social, citando a mobilidade social reduzida, o aumento da insegurança, a desintegração da autoridade paternal, a falta de amor maternal na primeira infância – ele sabe o que está fazendo, mas faz assim mesmo, como na famosa "Gee, Officer Krupker", de *West Side Story*, de Leonard Bernstein (letra de Stephen Sondheim), que declara: "A delinquência juvenil é simplesmente uma doença social":

> Jamais tivemos o amor
> Que toda criança deveria ter
> Não somos delinquentes
> Somos incompreendidos
> Há algo bom lá no fundo de nós
>
> O papai bate na mamãe
> E a mamãe faz o mesmo comigo
> Meu avô é comunista
> Minha avó fuma maconha

Minhas irmãs usam bigode
Meu irmão usa vestido
Meu Deus, por isso sou essa bagunça

Esse rapaz não precisa de um divã
Mas de uma carreira útil
A sociedade lhe pregou uma peça terrível
E ele está doente sociologicamente

Dizem para eu arrumar um emprego
De *soda jerker**
Assim eu seria um desleixado
Não sou antissocial
Sou apenas antitrabalho**

Eles não são apenas uma doença social, eles se declaram uma doença social, representando ironicamente diferentes descrições de sua condição (como a teriam descrito um assistente social, um psicólogo ou um juiz). Consequentemente, não faz sentido ponderarmos qual das duas reações aos motins, a conservadora ou a liberal, é pior: como diria Stalin, *as duas* são piores, e isso inclui o alerta formulado pelos dois lados contra o perigo real desses ataques, que reside na *reação* racista facilmente previsível da "maioria silenciosa". Essa reação (que não deveria de modo nenhum ser considerada simplesmente reacionária) já ocorreu na forma de uma atividade "tribal" própria: aumento repentino da defesa organizada nas comunidades locais (turcos, caribenhos, siques...), que rapidamente formaram suas próprias unidades de vigilância para proteger propriedades obtidas a duras penas. Também deveríamos rejeitar a escolha de qual postura assumir nesse conflito: seriam os pequenos lojistas a defesa da pequena burguesia contra um protesto legítimo, embora violento, contra o sistema ou os manifestantes seriam representantes da classe trabalhadora genuína contra as forças da desintegração social? A violência dos manifestantes foi quase exclusivamente direcionada contra eles mesmos. Os carros incendiados e as lojas saqueadas não pertencem à vizinhança rica: tudo fazia parte das aquisições feitas com dificuldade pelo mesmo estrato de origem dos

---

* "Soda jerker" era o nome dado ao barman que servia bebidas gaseificadas, com ou sem sorvete, preparadas em máquinas de refrigerante. A atividade foi popularizada na década de 1940, e a bebida costumava ser vendida em farmácias. (N. T.)

** "We never had the love/ That every child oughta get/ We ain't no delinquents/ We're misunderstood/ Deep down inside us there is good/ My daddy beats my mommy/ My mommy clobbers me/ My grandpa is a commie/ My grandma pushes tea/ My sisters wears a moustache/ My brother wears a dress/ Goodness gracious, that's why I'm a mess/ This boy don't need a couch/ He needs a usefully career/ Society's played him a terrible trick/ And sociologically he's sick/ They tell me get a job/ Like be a soda jerker/ Which means I'd be a slob/ It's not I'm antisocial/ I'm only antiwork". (N. E.)

manifestantes. A triste verdade da situação está nesse mesmo conflito entre os dois polos dos desfavorecidos: aqueles que ainda têm êxito atuando dentro do sistema contra aqueles que são frustrados demais para continuar a fazer isso e só são capazes de atacar o outro polo da própria comunidade. O conflito que sustenta os motins, portanto, não é simplesmente um conflito entre divisões da sociedade; em sua forma mais radical, ele é *o conflito entre a não sociedade e a sociedade*, entre os que não têm nada a perder e os que têm tudo a perder, entre os que não correm risco nenhum na comunidade e os que correm os maiores riscos.

Mas por que os manifestantes foram levados a esse tipo de violência? Zygmunt Bauman estava no caminho certo quando caracterizou os motins como atos de "consumidores anômalos e desqualificados": mais do que qualquer outra coisa, os motins foram um carnaval consumista de destruição, um desejo consumista violentamente encenado, quando incapaz de se realizar da maneira "apropriada" (pela compra). Sendo assim, é claro, eles também contêm um caráter de protesto genuíno, uma espécie de resposta irônica à ideologia consumista com a qual somos bombardeados diariamente: "Você nos incita a consumir, mas ao mesmo tempo nos priva da possibilidade de fazê-lo apropriadamente – então aqui estamos nós, consumindo da única maneira que nos é permitida!". De certo modo, os motins representam a verdade da "sociedade pós-ideológica", exibindo de uma maneira dolorosamente palpável a força material da ideologia. O problema dos motins não é a violência em si, mas o fato de essa violência não ser verdadeiramente assertiva: em termos nietzschianos, ela é reativa, não ativa; é fúria impotente e desespero disfarçado de força; é inveja mascarada de carnaval triunfante.

O perigo é que a religião preencha o vazio e restabeleça o significado. Ou seja, os tumultos precisam ser situados na série que formam com outro tipo de violência, aquela que a maioria liberal percebe como ameaça a nosso estilo de vida: ataques terroristas certeiros e atentados suicidas. Nos dois casos, a violência e a contraviolência estão presas em um círculo vicioso mortal, cada qual gerando as mesmas forças que tentam combater. Em ambos, trata-se da cega *passage à l'acte*, em que a violência é uma admissão implícita da impotência. A diferença é que, em contraste com os ataques em Paris ou no Reino Unido, que foram um protesto "de nível zero", uma explosão violenta que não queria nada, os ataques terroristas ocorrem em nome daquele significado *absoluto* dado pela religião.

Mas as revoltas árabes não são um ato coletivo de resistência que fugiu a essa falsa alternativa da violência autodestrutiva e do fundamentalismo religioso?

5
Inverno, primavera, verão e outono árabes

O objeto de número PO 24.1999 do Museu de Arte Islâmica (MAI), em Doha, é um simples prato do século X, proveniente do Irã ou da Ásia Central (Nishapur ou Samarcanda). Tem 43 centímetros de diâmetro e foi decorado com uma frase escrita em fundo branco, um provérbio atribuído a Yahya ibn Ziyad: "Tolo é quem perde a oportunidade e culpa o destino". Pratos desse tipo eram feitos para suscitar conversas apropriadas entre eruditos durante e após as refeições, um antigo hábito esquecido, cujo maior praticante talvez tenha sido Immanuel Kant – uma prática estranha à nossa época de *fast-food*, na qual só conhecemos "refeições de negócios", e não "refeições para pensar".

Além disso, essa integração do prato (ou objeto de arte) aos ambientes (a refeição) faz parte de uma característica geral da arte muçulmana, em contraste nítido com a prática comum europeia de isolar o objeto de arte em um espaço sagrado de exibição, eximindo-o das práticas diárias (é por esse motivo que, para Duchamp, um urinol torna-se um objeto de arte no momento em que é exposto numa galeria de arte). Pei, arquiteto responsável pelo MAI, entendeu essa característica: enquanto trabalhava com os princípios básicos do desenho arquitetônico, percebeu que, em vez de tratar o jogo de luz e sombra como um elemento perturbador, deveria integrá-lo a seu projeto. Se imaginarmos o prédio do MAI apenas como um prédio e abstrairmos o modo como o jogo entre claro e escuro afeta a percepção que temos dele, chegamos a um objeto incompleto – a linha que separa os raios solares deslumbrantes e as partes que permanecem na sombra também são parte integrante do prédio. O mesmo vale para o prato: para entendê-lo plenamente como obra de arte, precisamos situá-lo no ato de comer.

A maneira como as pessoas se relacionavam com a mensagem pintada no prato em que comiam obedecia a um ritmo temporal específico: a inscrição é revelada aos poucos, à medida que a comida desaparece do prato. No entanto, há uma peculiaridade mais complexa nisso: quando a refeição é servida e o prato está cheio, é provável que já se possa ler o provérbio escrito na borda; então, o que se revela pouco a pouco é o desenho circular no centro, obviamente o símbolo da circularidade da vida, similar à famosa imagem da cobra engolindo o próprio rabo. Mas seria esse "grande ciclo da vida" a mensagem fundamental do prato? E se o desenho central fosse, ao contrário, uma espécie de símbolo vazio, com a pretensão de transmitir a mais profunda das verdades, mas transmitindo efetivamente apenas uma platitude que caracteriza a pseudossabedoria?

Em outras palavras, o desenho no centro do prato não está no nível das tautologias profundas ("vida é vida", "tudo que nasce tem de morrer" etc.) que simplesmente mascaram como uma sabedoria profunda nossa simples perplexidade? Usamos essas frases quando não sabemos o que dizer, mas queremos mostrar que somos profundamente sábios. O melhor exemplo da platitude dessa sabedoria é o oportunismo dos provérbios: podemos atribuir um provérbio a qualquer coisa que aconteça. Se alguém corre um grande risco e tem êxito, podemos dizer algo do tipo "Quem arrisca sempre alcança"; se fracassa, dizemos "Não se pode ir contra a maré!" ou "Quanto mais alto se sobe, maior é o tombo!", e isso parece igualmente profundo. Outra prova do vazio das sabedorias é que não importa quanto elas sejam modificadas, negadas etc., o resultado sempre parecerá sábio. A frase "Não se prenda à futilidade da vida mundana e seus prazeres, pense na eternidade como a única e verdadeira vida!" parece profunda, mas esta também parece: "Não tente entender o arco-íris da eternidade, aproveite a vida terrena, pois é a única que temos!". E que tal "O sábio não opõe a eternidade a uma vida terrena passageira; ele enxerga o raio da eternidade brilhando na vida diária"? Ou, ainda, "O sábio aceita o abismo que separa a vida terrena da eternidade, porque sabe que nós, mortais, somos incapazes de unir as duas dimensões; só Deus pode fazê-lo"? Sabedorias, sabedorias...

No entanto, o provérbio na borda do prato, atribuído a Yahya ibn Ziyad, *não* é exatamente uma sabedoria. "Tolo é quem perde a oportunidade e culpa o destino." Vamos mudar o sentido: "Tolo é quem, depois de perder a oportunidade, não vê que seu fracasso foi obra do destino". Essa sabedoria não passa de um lugar-comum de caráter religioso, segundo o qual não há chance, porque tudo é controlado por um destino inescrutável. Mas o provérbio impresso no prato, quando lido com mais atenção, não nos diz o oposto desse lugar-comum? Sua mensagem não é simplesmente um: "Não há destino, tudo é questão do acaso". Qual é a mensagem, então? Voltemos à dimensão temporal do uso do prato: no início da refeição, quando o sujeito percebe pela primeira vez a inscrição na borda do prato cheio, ele não a vê como uma lição sobre o acaso, desperdiça a oportunidade de aproveitá-la e espera a verdadeira mensagem por baixo do monte de comida; contudo, quando esvazia o prato, ele vê que a verdadeira mensagem escondida é uma platitude e percebe que a verdade lhe escapou na primeira mensagem, então volta a ela, lê de novo e só então lhe ocorre que a mensagem não é sobre acaso *versus* destino, mas sobre algo muito mais complexo e interessante: *escolher o próprio destino* depende do poder de cada um.

No subúrbio de Doha, há um acampamento para trabalhadores imigrantes, dos quais aqueles que pertencem às classes sociais mais baixas vêm do Nepal. Eles só têm liberdade para visitar o centro da cidade às sextas-feiras; no entanto, às sextas-feiras, os homens solteiros são proibidos de entrar nas lojas – teoricamente para manter o espírito familiar nas lojas, mas é óbvio que isso é apenas uma desculpa; o verdadeiro motivo é evitar que os imigrantes tenham contato com os compradores mais ricos (os trabalhadores imigrantes vivem sozinhos no Catar, não conseguem bancar a vinda das famílias ou não têm permissão para trazê-las). Saltemos então das alturas da arqueologia e da história da arte para a vida comum e imaginemos um grupo de trabalhadores nepaleses descansando na grama, ao sul da principal feira de Doha numa sexta-feira, comendo uma refeição modesta, composta de *homus* e pão, naquele mesmo prato, que vai se esvaziando aos poucos; os trabalhadores leem as palavras de Yahya ibn Ziyad e, enquanto conversam, um deles diz: "E se isso valer também para nós? E se nosso destino não for viver aqui como proscritos? E se, em vez de lamentar nosso destino, devêssemos aproveitar a oportunidade e mudar nosso destino?".

Esse potencial emancipatório radical do islamismo não é ficção, pode ser identificado em uma circunstância inusitada: a Revolução Haitiana, um momento que de fato "definiu a história mundial"[1]. O Haiti foi uma exceção desde o início, desde a luta revolucionária contra a escravidão, que levou à independência em janeiro de 1804: "Só no Haiti a declaração da liberdade humana foi universalmente consistente. Só no Haiti essa declaração foi sustentada a todo custo, na direção oposta à ordem social e à lógica econômica da época". Por essa razão, "não há um único evento em toda a história moderna cujas implicações tenham sido mais ameaçadoras para a ordem global dominante das coisas". Poucas pessoas sabem que um dos organizadores da rebelião haitiana foi um pregador e escravo negro conhecido como "John Bookman", um nome que o designa como letrado, mas – surpresa! – o "livro" [*book*] a que se refere seu nome não era a Bíblia, mas o Corão. Isso nos faz lembrar da grande tradição das rebeliões "comunistas" milenares no islamismo, em especial a "República de Qarmat" e a Revolta dos Zanj. Os cármatas eram um grupo ismaelita centralizado, milenar, do leste da Arábia (hoje Bahrain), onde estabeleceram uma república utópica em 899. São acusados com frequência de ter instigado "um século de terrorismo": em 930, durante o período de *hajj*, eles tomaram a Pedra Negra de Meca, um ato que assinalou a chegada da era do amor, de modo que nin-

[1] Peter Hallward, *Damming the Flood* (Londres, Verso Books, 2007), p. 13.

guém mais precisava obedecer à Lei. O objetivo dos cármatas era construir uma sociedade baseada na razão e na igualdade. O Estado era governado por um conselho de seis com um chefe que era o primeiro entre os iguais. Toda propriedade dentro da comunidade era distribuída igualmente entre os iniciados. Embora fossem organizados como uma sociedade esotérica, os cármatas não eram uma sociedade secreta: suas atividades eram públicas e abertamente propagadas. Sua ascensão foi instigada pela rebelião escrava de Basra, que abalou o poder de Bagdá. A "Revolta dos Zanj", que ocorreu em um período de quinze anos (869-883), envolveu mais de 500 mil escravos oriundos de todo o império muçulmano. O líder, o escravo negro Ali ibn Muhammad, ficou chocado com o sofrimento dos escravos que trabalhavam nos pântanos de Basra e começou a investigar suas condições de trabalho e alimentação. Dizia-se descendente do califa Ali ibn Abu Talib; quando essa pretensa linhagem não foi aceita, ele começou a pregar uma doutrina radicalmente igualitária, segundo a qual o homem mais qualificado deveria reinar, ainda que fosse um escravo abissínio – não surpreende que os historiadores oficiais (como Al-Tabari e Al-Masudi) tenham observado apenas o caráter "cruel e violento" do levante.

E por que não damos um passo adiante e, voltando à cena dos trabalhadores nepaleses comendo no prato, imaginamos uma mulher (também uma trabalhadora imigrante cuja ocupação seja, digamos, limpar os quartos de um hotel) servindo-lhes comida naquele prato? O fato de ser uma mulher que lhes sirva não só o alimento para comer, mas também o alimento para pensar (isto é, a mensagem pintada no prato) e se lançar na verdade tem um significado especial com respeito ao papel da mulher no islamismo. Muhammad experimentou pela primeira vez suas revelações como sinais de alucinações poéticas; sua reação imediata foi: "Nenhuma das criaturas de Deus era mais abominável para mim do que um poeta em êxtase ou um homem possuído". Quem o salvou dessa incerteza insuportável, assim como do papel de proscrito social, do tolo do vilarejo, e primeiro acreditou em sua mensagem, o primeiro muçulmano, foi Khadija, *uma mulher*.

Isso nos leva de volta à mulher que serve comida aos trabalhadores imigrantes: e se ela escolheu sabiamente o prato para lembrá-los da verdade de que sua própria subordinação aos homens também não é um destino, ou melhor, é um destino que pode ser mudado? Embora o islamismo tenha recebido recentemente duras críticas no Ocidente por causa da maneira como trata as mulheres, podemos ver que há potencialidades muito diferentes escondidas por trás da superfície patriarcal.

Então esta é a mensagem do objeto de número PO 24.1999 do MAI: quando tentamos opor Oriente e Ocidente como destino e liberdade, o islamismo representa uma terceira posição que abala essa oposição binária, ou seja, nem subordinação ao destino cego nem liberdade para fazer tudo que se quer – duas coisas que pressupõem uma oposição externa abstrata entre os dois termos –, mas sim uma liberdade mais profunda para decidir ("escolher") nosso destino. E os eventos de 2011 no Oriente Médio demonstram amplamente que esse legado é bom e está vivo: não é preciso voltar ao século X para encontrar um "bom" islamismo, ele está aqui, bem diante dos nossos olhos.

Quando um regime autoritário se aproxima da crise final, sua dissolução, via de regra, segue dois passos. Antes do colapso real, acontece uma misteriosa ruptura: de repente, as pessoas percebem que o jogo acabou e simplesmente deixam de sentir medo. Além de o regime perder sua legitimidade, o próprio exercício do poder é visto como uma impotente reação de pânico. Em *Xá dos xás**, um relato clássico da revolução de Khomeini, Ryszard Kapuściński identificou o momento preciso dessa ruptura: em uma encruzilhada em Teerã, um único manifestante se recusou a sair do lugar quando um policial gritou para que se retirasse, e o policial, constrangido, simplesmente recuou; depois de duas horas, Teerã inteira sabia do incidente e, embora houvesse brigas nas ruas havia semanas, todos sabiam que o jogo havia acabado. Não aconteceu algo semelhante depois que Moussavi perdeu para Ahmadinejad nas manipuladas eleições iranianas em 2009?

Há muitas versões sobre os acontecimentos em Teerã. Alguns viram nos protestos o auge do "movimento de reforma" a favor do Ocidente, na linha da revolução "laranja" na Ucrânia, na Geórgia etc. – uma reação secular à revolução de Khomeini. Apoiaram os protestos como o primeiro passo na direção de um novo Irã, secular, liberal democrata, livre do fundamentalismo muçulmano. Foram contra-atacados por céticos que acreditaram que Ahmadinejad havia realmente ganhado: ele era a voz da maioria, ao passo que o apoio a Moussavi vinha da classe média e da juventude dourada. Em suma, é preciso deixar de lado as ilusões e encarar o fato de que, com Ahmadinejad, o Irã teve o presidente que merecia. Também houve aqueles que rejeitaram Moussavi por considerá-lo membro do *establishment* clerical, com diferenças apenas cosméticas em relação a Ahmadinejad: ele também queria dar continuidade ao programa nuclear e era contra o reconhecimento de Israel, além de ter contado com todo o apoio de Khomeini como primeiro-ministro durante a guerra com o Iraque, quando a democracia foi massacrada...

Por fim, os mais tristes de todos foram os defensores de Ahmadinejad: para eles, o que realmente estava em jogo era a independência iraniana. Ahmadinejad venceu porque apoiou a independência do país, expôs a corrupção da elite e usou a riqueza do petróleo para fortalecer a renda da maioria pobre; é esse, dizem eles, o verdadeiro Ahmadinejad por trás da imagem do fanático que nega o Holocausto, propagada pela mídia ocidental. Segundo essa visão, o que aconteceu de fato no Irã foi uma repetição da derrubada de Mossadegh em 1953: um golpe financiado pelo Ocidente contra o presidente legítimo. Mas, além de ignorar os fatos (a grande

---

* Trad. Tomasz Barcinski, São Paulo, Companhia das Letras, 2012. (N. T.)

participação dos eleitores – um aumento dos usuais 55% para 85% – só pode ser explicada como voto de protesto), essa visão também mostra certa cegueira em relação à demonstração genuína da vontade popular, assumindo com condescendência que, para os retrógrados iranianos, Ahmadinejad é bom o bastante – eles ainda não são suficientemente maduros para ser governados por uma esquerda secular.

Na condição de versões opostas, todas as três interpretam os protestos iranianos ao longo do eixo que vai dos extremistas islâmicos aos reformistas liberais pró-Ocidente, por isso é tão difícil para elas determinar a posição de Moussavi: ele é um reformista, apoiado pelo Ocidente, que quer mais liberdade pessoal e economia de mercado ou é um membro do *establishment* clerical cuja vitória não afetaria a sério a natureza do regime? Essas oscilações extremas mostram que todas as versões deixam escapar a verdadeira natureza dos protestos.

A cor verde adotada pelos apoiadores de Moussavi e os gritos de "Allah akbar!" que ecoaram dos telhados de Teerã na escuridão da noite indicam claramente que eles viam seus atos como uma repetição da revolução de Khomeini em 1979, como um retorno às raízes, uma anulação da recente corrupção da revolução. Esse retorno às raízes não foi apenas pragmático; ele dizia respeito muito mais ao modo de agir das multidões: a união impetuosa das pessoas, a solidariedade oniabrangente, a organização criativa, a improvisação dos modos de articular o protesto, a mistura singular de espontaneidade e disciplina, como a sinistra marcha de milhares de pessoas em completo silêncio. Trata-se de um levante popular genuíno dos partidários da revolução de Khomeini que se sentem enganados.

É por esse motivo que deveríamos comparar os eventos no Irã à intervenção dos Estados Unidos no Iraque: o Irã serviu de exemplo de afirmação genuína da vontade popular, em contraste com a imposição estrangeira da democracia no Iraque[2]. Em outras palavras, o Irã mostrou o que deveria ter sido feito no Iraque.

---

[2] Se o axioma subjacente básico da Guerra Fria foi o axioma da MAD (Mutually Assured Destruction [Destruição Mútua Assegurada]), o axioma da Guerra ao Terror atual parece ser o oposto da Nuts (Nuclear Utilization Target Selection [Seleção de Alvo de Utilização Nuclear]), isto é, a ideia de que, por meio de uma ofensiva, é possível destruir a capacidade nuclear do inimigo, enquanto um escudo antimísseis nos protege de um contra-ataque. Mais precisamente, os Estados Unidos adotam uma estratégia diferencial: agem como se ainda confiassem na lógica MAD em suas relações com a Rússia e a China, mas são tentados a praticar a Nuts com o Irã e a Coreia do Norte (Jean-Pierre Dupuy, *La marque du sacré*, Paris, Carnets Nord, 2008, p. 244-5). O mecanismo paradoxal da MAD transforma a lógica da "profecia autorrealizadora" em uma "intenção autoembrutecedora": o próprio fato de que ambos os lados podem ter certeza de que, no caso de um iniciar um ataque nuclear contra o outro, este responderá com força destrutiva total, garante que nenhum dos dois inicie uma guerra. A lógica da Nuts, ao contrário, é que o inimigo pode ser forçado a se desarmar, se tiver certeza de que podemos atacá-lo sem corrermos o risco de um contra-ataque. O próprio fato de que duas estratégias diretamente contraditórias podem ser utilizadas ao mesmo tempo pelo mesmo superpoder é testemunho do caráter fantasmático desse raciocínio.

E é por isso também que os eventos no Irã podem ser interpretados como uma crítica à platitude do discurso de Obama no Cairo, em 2009, limitado ao diálogo entre as religiões. Não, nós não precisamos do diálogo entre as religiões (ou civilizações); nós precisamos de um vínculo solidário entre aqueles que lutam por justiça nos países muçulmanos e aqueles que participam da mesma luta em outras regiões. Em outras palavras, precisamos de uma politização que fortaleça a luta aqui, lá e em todos os lugares.

Podemos inferir duas consequências cruciais dessa constatação. A primeira é que Ahmadinejad não é o herói dos pobres islamitas, mas um genuíno populista e um fascista islâmico corrupto, uma espécie de Berlusconi iraniano cuja mistura de dissimulação burlesca e política de força implacável causa desconforto até mesmo à maioria dos aiatolás. Não devemos nos iludir com a distribuição demagógica de migalhas aos pobres: por trás de Ahmadinejad existem não só órgãos de repressão policial e um aparato ocidentalizado de relações públicas, mas também uma forte e nova classe rica, resultante da corrupção do regime (a Guarda Revolucionária do Irã não é uma milícia da classe trabalhadora, mas uma megacorporação, o maior centro de riquezas do país).

A segunda é que devemos fazer uma distinção clara entre os dois principais candidatos de oposição a Ahmadinejad: Mehdi Karroubi e Moussavi. Karroubi efetivamente é um reformista que, em linhas gerais, propõe uma versão iraniana da identidade política, prometendo favores a todos os grupos particulares. Moussavi é totalmente diferente: seu nome representa a ressurreição genuína do sonho popular que sustentou a revolução de Khomeini. Ainda que esse sonho tenha sido uma utopia, devemos reconhecer nele a utopia genuína da própria revolução. Isso significa que a revolução de Khomeini, em 1979, não pode ser reduzida a uma dura tomada islamita do poder – ela foi muito mais do que isso. Este é o momento de lembrarmos a incrível efervescência do primeiro ano depois da revolução, com uma assombrosa explosão de criatividade social e política, debates e experimentos organizacionais entre estudantes e pessoas comuns. O próprio fato de que essa explosão teve de ser abafada demonstra que a revolução de Khomeini foi um autêntico evento político, uma *abertura* momentânea que desencadeou forças desconhecidas de transformação social, um momento em que "tudo parecia possível". O que se seguiu foi um fechamento gradual por meio da tomada do controle político por parte do *establishment* islâmico. Em termos freudianos, o atual movimento de protesto é o "retorno do reprimido" da revolução de Khomeini.

Pouco a pouco, quem está no poder contém a explosão popular. No entanto, não é o mesmo regime, mas apenas um governo autoritário e corrupto entre outros. O aiatolá Khamenei perdeu o que restava de seu status de líder espiritual íntegro, acima das lutas de força, e apareceu como é – apenas mais um político oportunista. Contudo, apesar desse resultado (temporário), é importante ter em mente que testemunhamos um grande evento emancipatório que não se encaixa no quadro da luta entre os liberais favoráveis ao Ocidente e os fundamentalistas contrários ao Ocidente. Se nosso cínico pragmatismo nos fizer perder a capacidade de reconhecer essa dimensão emancipatória, então nós, no Ocidente, estamos efetivamente entrando em uma era pós-democrática e preparando-nos para nossos próprios Ahmadinejads.

O que começou no Irã explodiu na chamada Primavera Árabe que culminou no Egito. Em *Conflito das faculdades*, escrito em meados dos anos 1790, Immanuel Kant trata de uma questão simples, porém difícil: há verdadeiro progresso na história? (Ele se referia ao progresso ético na liberdade, não apenas ao desenvolvimento material.) Kant reconheceu que a história real é confusa e não admite prova clara: basta lembrar que o século XX trouxe uma democracia e um bem-estar sem precedentes, mas também o Holocausto e o gulag... No entanto, concluiu que, embora o progresso não possa ser provado, podem-se discernir sinais que indicam que ele é possível. Kant interpretou a Revolução Francesa como um sinal que apontava para a possibilidade de liberdade: o que até então era impensável aconteceu e todo um povo declarou destemidamente sua liberdade e igualdade. Para Kant, mais importante que a realidade – muitas vezes sangrenta – do que aconteceu nas ruas de Paris foi o entusiasmo que os eventos na França despertaram nos olhos de observadores solidários em toda a Europa (e também no Haiti!):

> A revolução de um povo espiritual, que vimos ter lugar nos nossos dias, pode ter êxito ou fracassar; pode estar repleta de miséria e de atrocidades [...]. mas esta revolução, afirmo, depara nos ânimos de todos os espectadores (que não se encontram enredados neste jogo), com uma participação segundo o desejo, na fronteira do entusiasmo, e cuja manifestação estava, inclusive, ligada ao perigo, que não pode, pois, ter nenhuma outra causa a não ser uma disposição moral no gênero humano.[3]

Essas palavras também não servem perfeitamente ao levante egípcio contra o regime de Mubarak? Para Kant, a Revolução Francesa foi um sinal da história no sentido triplo de *signum rememorativum*, *demonstrativum* e *prognosticum*. O levante egípcio também é o sinal em que reverbera a memória do longo *passado* de opressão autoritária e luta por sua abolição; um evento que *agora* mostra a possibilidade de uma mudança; uma esperança de *futuras* realizações. Independentemente de nossos medos, dúvidas e compromissos, naquele momento de entusiasmo cada um de nós estava livre e participava da liberdade universal da humanidade. Todo o ceticismo exibido entre quatro paredes, inclusive por muitos progressistas preocupados, provou-se errado. Não há como não perceber a natureza "miraculosa" dos

[3] Immanuel Kant, *O conflito das faculdades* (trad. Artur Mourão, Covilhã, Universidade da Beira Interior, 2008), p. 105.

eventos no Egito: aconteceu algo que poucos previram, contrariando a opinião dos especialistas, como se o levante não fosse apenas resultado de causas sociais, mas também da intervenção de um agente estrangeiro na história, o agente que chamamos platonicamente de ideia eterna de liberdade, justiça e dignidade.

O levante foi universal: foi imediatamente possível que, no mundo inteiro, todos nós nos identificássemos com ele, reconhecêssemos do que se tratava, sem a necessidade de uma análise cultural das características específicas da sociedade egípcia. Em oposição à revolução de Khomeini no Irã (em que a esquerda teve de introduzir furtivamente sua mensagem no quadro islamita predominante), o quadro aqui era claramente o de um apelo secular e universal à liberdade e à justiça, de modo que a Irmandade Muçulmana teve de adotar a linguagem das demandas seculares. O momento mais sublime aconteceu quando muçulmanos e coptas se juntaram em uma oração na praça Tahrir, entoando "Somos um" e dando a melhor resposta à violência religiosa sectária. Os neoconservadores que criticam o multiculturalismo em nome dos valores universais da liberdade e da democracia encontram aqui seu momento de verdade: vocês querem a democracia e a liberdade universais? É isso que as pessoas exigem no Egito, então por que estão incomodados? É por que os manifestantes egípcios mencionaram na mesma série da liberdade e da dignidade a justiça econômica e social, e não só a liberdade de mercado?

A violência dos manifestantes foi puramente simbólica, um ato de desobediência civil coletiva e radical: eles suspenderam a autoridade do Estado; não foi apenas uma libertação interior, mas um ato social de quebra das correntes da *servitude volontaire*. A violência física foi cometida por bandidos contratados por Mubarak, que invadiram a praça Tahrir montados em cavalos e camelos e bateram nos manifestantes. O máximo que estes fizeram foi se defender. Embora combativa, a mensagem dos manifestantes não era de assassínio. O que eles exigiam era que Mubarak saísse, deixasse seu posto, abandonasse o país e abrisse espaço para a liberdade no Egito, uma liberdade da qual ninguém é excluído. O apelo dos manifestantes ao Exército e até mesmo à odiada polícia não era "Morram!", mas sim "Somos irmãos, juntem-se a nós!". Esse último aspecto distingue claramente uma demonstração emancipatória de uma demonstração populista de direita: por mais que a mobilização de direita proclame a unidade orgânica do povo, a unidade é sustentada por um apelo para aniquilar o inimigo designado (judeus, traidores...)[4]. A prolongada luta de resistência que se arrasta no Egito não é um conflito de visões, mas um

---

[4] A ocupação da Cisjordânia costuma ser apontada como um exemplo de colonização tardia; embora isso seja verdade em princípio, não deveríamos esquecer que o Estado de Israel é um estranho exemplo de colonização: em geral, o colonizador parte de sua pátria em busca de novos territórios; no caso de Israel, o processo de colonização visa criar uma pátria (nova, embora velha) – a Palestina é a única pátria que os judeus já tiveram.

conflito entre uma visão de liberdade e uma escalada cega ao poder, que emprega todos os meios possíveis (terrorismo, falta de comida, simples fadiga, suborno com aumentos de salários) para esmagar o desejo de liberdade.

Quando o presidente Obama saudou o levante como uma expressão legítima de opinião que deve ser reconhecida pelo governo, a confusão foi total: as multidões no Cairo e em Alexandria não queriam que suas reivindicações fossem reconhecidas pelo governo, elas negavam a própria legitimidade do governo. Não queriam o regime de Mubarak como parceiro de diálogo, queriam que ele fosse embora. Não queriam apenas um novo governo que ouvisse sua opinião, queriam reformular todo o Estado. Não tinham uma opinião, eram a verdade da situação no Egito. Mubarak entendeu isso muito melhor que Obama: não há espaço para compromissos aqui; ou o edifício do poder de Mubarak desmorona, ou o levante será cooptado e traído.

E o que dizer do medo – muito vivo em 2008 – de que, se Mubarak caísse, o novo governo seria mais hostil a Israel? Se o novo governo for a expressão de um povo que orgulhosamente goza de sua liberdade, não há o que temer: o antissemitismo só pode crescer em condições de desespero e opressão. Portanto, a rebelião em andamento fornece uma chance única de enfraquecer o antissemitismo – caso Israel deixe de confiar nos tiranos árabes, odiados por seu próprio povo. Uma notícia da CNN a respeito de uma província egípcia mostrou que o governo estava espalhando boatos na região de que os organizadores dos protestos e os jornalistas estrangeiros haviam sido enviados pelos judeus para enfraquecer o Egito – lá se foi a ideia de Mubarak como amigo dos judeus...

Uma das ironias mais cruéis da situação foi a preocupação do Ocidente de que a transição ocorresse de maneira "legítima" – como se até 2009 o Egito tivesse um Estado de direito! Não estamos nos esquecendo de que, durante anos, o Egito esteve em estado de emergência permanente, imposto pelo regime de Mubarak? O Estado de direito foi aquele que Mubarak manteve em suspenso, conservando o país inteiro em estado de imobilidade política, reprimindo a vida política genuína, por isso faz todo o sentido tantas pessoas afirmarem nas ruas do Cairo que se sentem vivas pela primeira vez na vida. É crucial que o sentido de "sentir-se vivo" não seja enterrado pela cínica *Realpolitik* das negociações por vir.

A acusação usual de que os poderes ocidentais estão pagando o preço pelo apoio hipócrita a um regime não democrático não vai tão longe. Quando a revolta explodiu, não houve nenhuma presença fundamentalista perceptível nem na Tunísia, nem no Egito – as pessoas simplesmente se revoltaram contra um regime opressor. Obviamente, a grande questão é: o que acontecerá amanhã? Quem surgirá como vencedor político? Quando um novo governo provisório foi nomeado na Tunísia, os islamitas e os esquerdistas mais radicais foram excluídos. A reação dos presunçosos liberais foi: "Ótimo, eles são praticamente a mesma coisa, dois totalitários extremistas"; mas as coisas são tão simples assim? O verdadeiro antagonismo de longo prazo não seria exatamente entre os islamitas e os esquerdistas? Ainda que se unam momentaneamente contra o regime, quando estão próximos da vitória essa unidade se rompe e eles entram numa luta mortal, muitas vezes mais cruel que contra o inimigo comum.

A guerra civil na Líbia, ocorrida após os eventos no Egito e no Bahrein, foi um caso claro de normalização da crise: voltamos para as águas seguras da luta antiterrorismo, a atenção voltou-se para o destino de Gaddafi, o arquivilão pró-terrorista que bombardeava o próprio povo, e os militaristas dos direitos humanos tiveram mais uma vez seu momento com as intervenções humanitárias. Foi esquecido o fato de que 250 mil pessoas se reuniram mais uma vez na praça Tahrir para protestar contra o sequestro religioso do levante; foi esquecida a intervenção militar saudita no Bahrein, que esmagou os protestos da maioria contra o governo autocrata... Onde estava o Ocidente nesse momento para protestar contra a violação dos direitos humanos? A mesma obscuridade marca o levante na Síria: embora o regime de Assad não mereça simpatias, as credenciais político-ideológicas de seus oponentes estão longe de ser claras. Do ponto de vista ocidental, o interessante nos eventos da Líbia e da Síria são a indecisão e a ambiguidade da reação ocidental. O Ocidente interveio diretamente na Líbia para apoiar os rebeldes que justamente não propunham nenhuma plataforma de emancipação política (como fizeram na Tunísia e no Egito); além disso, o Ocidente interveio contra o regime de Gaddafi, que colaborou plenamente com ele na última década, aceitando até as suspeitas de tortura terrorista terceirizada. Na Síria, está claro que fortes interesses geopolíticos evitam a pressão internacional sobre o regime (é óbvio que Israel prefere Assad a qualquer alternativa). Tudo isso aponta na direção da diferença fundamental entre Líbia e Síria e a Primavera Árabe propriamente dita: nas duas primeiras, estava (e está) acontecendo uma rebelião e uma luta de forças em que temos permissão para representar nossas simpatias (contra Gaddafi ou Assad), mas a dimensão da luta emancipatória radical é inexistente.

No entanto, até mesmo no caso dos movimentos claramente fundamentalistas, deveríamos ter o cuidado de não perder o componente social. O Talibã é repetidamente apresentado como um grupo islamita fundamentalista, que impõe seu governo com o terrorismo; no entanto, na primavera de 2009, quando eles tomaram o vale de Swat, no Paquistão, o *New York Times* noticiou que tinham planejado "uma revolta de classe que explora fissuras profundas entre um pequeno grupo de ricos proprietários de terra e seus arrendatários sem terra". O viés ideológico do artigo do *New York Times* é perceptível na maneira como fala da capacidade do Talibã de "explorar as divisões de classes", como se a "verdadeira" agenda talibã fosse outra (o fundamentalismo religioso), e o Talibã estivesse simplesmente "tirando proveito" da situação dos fazendeiros pobres e sem terra. Acrescentamos a isso apenas duas coisas. Primeiro, a distinção entre a "verdadeira" agenda e a manipulação instrumental é imposta ao Talibã de fora: como se os próprios fazendeiros pobres e sem terra não vivessem sua condição precária em termos "religiosos fundamentalistas"! Segundo, se, ao "tirar proveito" da condição precária dos fazendeiros, o Talibã está "aumentando a preocupação com os riscos para o Paquistão, que continua amplamente feudal", o que impede os liberais democratas do Paquistão, assim como dos Estados Unidos, de também "tirar proveito" dessa condição precária e tentar ajudar os fazendeiros sem terra? A triste implicação de essa questão óbvia não ter sido levantada na matéria do *New York Times* é que as forças feudais no Paquistão são o "aliado natural" da democracia liberal...

Ainda sobre o Egito, a reação mais vergonhosa e perigosamente oportunista foi a de Tony Blair, como relatado pela CNN: a mudança é necessária, mas deveria ser uma mudança estável. "Mudança estável" no Egito, hoje, só pode significar um compromisso com as forças de Mubarak, que deveriam sacrificar o próprio Mubarak e, pouco a pouco, aumentar o círculo dirigente. A hipocrisia dos liberais ocidentais é de tirar o fôlego: eles apoiam publicamente a democracia e, agora que as pessoas se revoltaram contra os tiranos em nome da liberdade e da justiça, não em nome da religião, eles estão "profundamente preocupados"... Por que se preocupar, por que não se alegrar com a chance dada à liberdade? Hoje, mais do que nunca, torna-se pertinente o antigo lema de Mao Tsé-Tung: "Há caos sob o céu, a situação é excelente".

Reagindo à famosa caracterização do marxismo como "o islamismo do século XX", secularizando o fanatismo abstrato do islamismo, Jean-Pierre Taguieff escreveu que o islã está se revelando "o marxismo do século XXI", prolongando, depois do declínio do comunismo, seu violento anticapitalismo. No entanto, as recentes vicissitudes do fundamentalismo muçulmano não confirmam os antigos *insights* de Walter Benjamin de que "toda ascensão do fascismo é o testemunho de uma revolução fracassada"? A ascensão do fascismo é o fracasso da esquerda, mas é ao mesmo tempo uma prova de que havia um potencial revolucionário, um descontentamento que a esquerda não foi capaz de mobilizar. E o mesmo não seria válido para o chamado "fascismo islâmico" atual? A ascensão do islamismo radical não seria exatamente o correlato do desaparecimento da esquerda secular nos países muçulmanos? Quando o Afeganistão é retratado como o maior país fundamentalista islâmico, quem ainda se lembra de que, há quarenta anos, ele era um país com uma forte tradição secular, onde um poderoso partido comunista chegou a tomar o poder, independentemente da União Soviética? Quando essa tradição secular desapareceu?

Isso nos leva à verdadeira e fatídica lição das revoltas da Tunísia e do Egito: se as forças liberais moderadas continuarem ignorando a esquerda radical, elas criarão uma onda fundamentalista intransponível. Para que o principal legado liberal sobreviva, os liberais precisam da ajuda fraternal da esquerda radical. Embora (quase) todos apoiem com entusiasmo essas explosões democráticas, há uma luta oculta por sua apropriação. Elas são celebradas pelos círculos oficiais e por grande parte da mídia ocidental como se fossem iguais às revoluções de veludo "pró-democracia" no Leste Europeu: um desejo de democracia liberal ocidental, um desejo de ser como o Ocidente. É por isso que surge inquietação quando se vê que existe outra dimensão nos protestos que estão acontecendo por lá, uma dimensão à qual se costuma referir como demanda por justiça social. Essa luta pela reapropriação não é apenas uma questão de interpretação – ela tem consequências práticas cruciais. Não deveríamos ficar tão fascinados com os momentos sublimes de união em toda uma nação; a pergunta fundamental é: o que acontecerá amanhã? Como essa explosão emancipadora será traduzida em uma nova ordem social?

Como acabamos de ver, testemunhamos nas últimas décadas toda uma série de explosões populares emancipatórias que foram reapropriadas pela ordem capitalista global, seja em sua forma liberal (da África do Sul às Filipinas), seja em sua forma fundamentalista (Irã). Não devemos esquecer que nenhum dos países árabes onde vêm ocorrendo levantes populares é formalmente democrático: todos eram autoritários em maior ou menor proporção, de modo que a demanda por justiça econômica e social integra-se espontaneamente à demanda por democracia – como se a pobreza fosse o resultado da ganância e da corrupção de quem está no poder e bastasse se livrar deles. Assim, o que acontece é que temos democracia, mas a pobreza continua – o que fazer *então*?

Infelizmente, parece cada vez mais que o inverno egípcio de 2011 será lembrado como o fim da revolução, como o sufocamento de seu potencial emancipatório; os coveiros são o Exército e os islamitas. Ou seja, os contornos do pacto entre o Exército (que é o mesmo bom e velho Exército de Mubarak, o grande beneficiário da ajuda financeira dos Estados Unidos) e os islamitas (que foram totalmente marginalizados nos primeiros meses da revolta, mas agora estão ganhando terreno) são cada vez mais perceptíveis: os islamitas tolerarão os privilégios materiais do Exército e, em troca, ganharão hegemonia ideológica. Os perdedores serão os liberais pró-Ocidente, fracos demais, apesar de todos os recursos financeiros que receberam da CIA para "promover a democracia", e em especial os verdadeiros agentes dos eventos da primavera, a esquerda secular emergente, que tentou desesperadamente coordenar uma rede de organizações da sociedade civil, desde sindicatos trabalhistas até organizações feministas. O que complica mais as circunstâncias é a situação econômica, que piora rapidamente – mais cedo ou mais tarde, isso levará às ruas milhões de pobres, amplamente ausentes nos eventos da primavera, que foram dominados pela jovem classe média instruída. A nova explosão *repetirá* a explosão da primavera, levando-a à sua própria verdade, impondo aos sujeitos políticos a escolha cruel: quem conseguirá se tornar a força que comandará a fúria dos pobres, transformando-a em programa político? A nova esquerda secular ou os islamitas?

A reação predominante da opinião pública ocidental ao pacto entre os islamitas e o Exército será, sem dúvida, uma exibição triunfante da sabedoria cínica: ouviremos mais uma vez que, como já ficou claro no Irã (não árabe), as revoltas populares nos países árabes sempre terminam em islamismo militante, de modo que Mubarak aparecerá retroativamente como um mal muito menor – é melhor ater-se ao menos mal conhecido e não brincar demais com a emancipação... Contra essa cínica tentação, deveríamos continuar incondicionalmente fiéis ao núcleo emancipatório radical dos levantes do Egito.

6
Occupy Wall Street, ou O silêncio violento de um novo começo

O que fazer no rescaldo do movimento Occupy Wall Street, agora que os protestos iniciados longe dali (Oriente Médio, Grécia, Espanha, Reino Unido) atingiram o centro e são reforçados e estendidos para o resto do mundo? Em eco ao Occupy Wall Street, ocorrido num domingo, 16 de outubro de 2011, em São Francisco, um rapaz se dirigiu à multidão, convidando-a a participar do movimento como se fosse algo que estivesse ocorrendo no estilo *hippie* dos anos 1960: "Querem saber qual é o nosso programa. Nós não temos programa. Estamos aqui para passar momentos agradáveis". Declarações desse tipo mostram um dos grandes perigos enfrentados pelos manifestantes: o perigo de se apaixonar por si próprios, pelos momentos agradáveis que estão passando nos lugares "ocupados". Carnavais custam muito pouco – o verdadeiro teste de valor é o que permanece no dia seguinte, ou como nossa vida cotidiana normal é modificada. Os manifestantes deveriam se apaixonar pelo trabalho duro e paciente; eles são o início, não o fim, e sua mensagem básica é: o tabu já foi rompido, não vivemos no melhor mundo possível, temos a permissão, e a obrigação até, de pensar em alternativas.

Em uma espécie de tríade hegeliana, a esquerda ocidental fechou o ciclo: depois de abandonar o chamado "essencialismo da luta de classes" pela pluralidade das lutas antirracistas, feministas etc., o "capitalismo" agora está ressurgindo claramente como o nome *do* problema. As duas primeiras coisas que deveriam ser proibidas então são a crítica da corrupção e a crítica do capitalismo financeiro. Primeiro: não podemos culpar o povo e suas atitudes. O problema não é a corrupção ou a ganância, mas o sistema que nos incita a ser corruptos. A solução não é o *slogan* "Main Street, not Wall Street"*, mas sim mudar o sistema em que a Main Street não funciona sem a

* O lema manifesta preferência por uma rua de comércio local, de pequenos investidores (Main Street), em oposição à imensa concentração de grandes negócios e investimentos simbolizada por Wall Street. (N. E.)

Wall Street. Somos bombardeados por figuras públicas – do papa para baixo – com injunções de combate à cultura da ganância e do consumo em excesso – esse espetáculo repugnante da moralização barata é um excelente exemplo de operação ideológica: a compulsão (para expandir) inscrita no próprio sistema é traduzida no pecado pessoal, na propensão psicológica privada ou, como diz um dos teólogos próximos do papa: "A crise atual não é uma crise do capitalismo, mas uma crise da moralidade".

Citemos mais uma vez a piada de *Ninotchka*, de Ernst Lubitsch: um homem entra em uma cafeteria e pede café sem creme; o garçom responde: "Desculpe, mas o creme acabou, só temos leite. Posso trazer café sem leite?". Não estava em jogo um artifício parecido na dissolução dos regimes comunistas do Leste Europeu em 1990? Os manifestantes queriam liberdade e democracia sem corrupção e exploração, e o que obtiveram foi liberdade e democracia sem solidariedade e justiça. Da mesma maneira, o teólogo católico próximo do papa enfatiza cuidadosamente que os manifestantes deveriam ter como alvo a injustiça moral, a ganância, o consumismo etc., sem o capitalismo. Deveríamos parabenizar a honestidade desse teólogo, que formula abertamente a negação implícita na crítica moralizante: a função de enfatizar a moralidade é evitar a crítica do capitalismo. A circulação autopropulsora do capital continua sendo, mais do que nunca, o derradeiro Real de nossa vida, uma besta que, por definição, não pode ser controlada. Isso nos leva à segunda proibição: devemos rejeitar a crítica simplista do "capitalismo financeiro" – como se houvesse outro capitalismo justo...

Há um longo caminho pela frente, e em pouco tempo teremos de enfrentar as questões verdadeiramente difíceis – questões não sobre aquilo que não queremos, mas sobre aquilo que *queremos*. Que organização social pode substituir o capitalismo vigente? De que tipo de novos líderes nós precisamos? Que órgãos, incluindo os de controle e repressão[1]? As alternativas do século XX obviamente não serviram. Por mais que seja emocionante gozar dos prazeres da "organização horizontal" das multidões em protesto, com solidariedade igualitária e debates livres e abertos, também devemos ter em mente o que G. K. Chesterton escreveu: "Apenas ter a mente aberta não significa nada; o objetivo de abrir a mente, bem como de abrir a boca, é fechá-la novamente com algo sólido". Isso também vale para a política em tempos de incerteza: os debates que ficam em aberto terão de coalescer não só em novos significantes mestres, mas também em respostas concretas à antiga questão leninista: "Que fazer?".

---

[1] Uma das críticas notórias aos teóricos e políticos de esquerda diz respeito à sua incapacidade de mobilizar a favor de sua causa os milhões de pobres, desempregados, subempregados etc. que deveriam votar na esquerda. Como resposta a essa crítica, é costume mencionar "mecanismos ideológicos profundos" que sustentam a mistificação da grande maioria; no entanto, não há necessidade nenhuma de uma abordagem "profunda". Por que uma pessoa comum deveria votar a favor da esquerda radical? Que alternativa concreta essa esquerda está oferecendo?

Devemos evitar a tentação do narcisismo da Causa perdida e admirar a beleza sublime dos levantes fadados ao fracasso. A poesia do fracasso tem sua expressão mais clara em um trecho de Brecht sobre o sr. Keuner. "'Em que está trabalhando?', perguntaram ao sr. K. Ele respondeu: Tenho muito o que fazer, preparo meu próximo erro'"*. No entanto, essa variação do antigo tema beckettiano "errar melhor" não é suficiente: deveríamos nos concentrar nos resultados deixados para trás pelo fracasso. Na esquerda atual, o problema da "negação determinada" retorna de maneira violenta: que nova ordem positiva deveria substituir a antiga no dia seguinte, quando tiver acabado o sublime entusiasmo do levante? É nesse ponto crucial que encontramos a fraqueza fatal dos protestos: eles expressam uma fúria autêntica, incapaz de se transformar em um programa positivo mínimo de mudança sociopolítica. Eles expressam um espírito de revolta sem revolução.

Se analisarmos mais de perto o famoso manifesto dos Indignados espanhóis, uma surpresa nos aguarda. A primeira coisa que salta aos olhos é o tom incisivamente apolítico:

> Alguns de nós se consideram progressistas, outros, conservadores. Alguns são crentes, outros, não. Alguns têm ideologias bem definidas, outros são apolíticos, mas todos estamos preocupados e revoltados com a perspectiva política, econômica e social que vemos ao nosso redor: a corrupção entre políticos, empresários, banqueiros, o que nos deixa indefesos, sem voz.**

Eles dão voz aos protestos em nome das "verdades inalienáveis que deveríamos aceitar em nossa sociedade: o direito a moradia, emprego, cultura, saúde, educação, participação política, livre desenvolvimento pessoal e direito ao consumo dos bens necessários a uma vida feliz e saudável"***. Rejeitando a violência, eles reclamam uma "revolução ética": "Em vez de colocar o dinheiro acima dos direitos humanos, deveríamos colocá-lo a nosso serviço. Somos pessoas, não produtos. Eu não sou um produto do que compro, por que compro e de quem compro"****. É fácil imaginar um fascista honesto concordando plenamente com essas demandas: "colocar o dinheiro acima dos seres humanos" – sim, é isso que os banqueiros judeus estão fazendo; "corrupção entre políticos, empresários, banqueiros, o que nos deixa indefesos" – sim, precisamos de capitalistas honestos, que tenham visão para servir à nação, não a especuladores; "somos pessoas, não produtos" – sim, somos pessoas cujo lugar é o elo vivo da nação, não o mercado etc. etc. E quem será o agente

---

* Bertolt Brecht, *Histórias do Sr. Keuner* (trad. Paulo César de Souza, São Paulo, Editora 34, 2006), p. 17. (N. E.)

** Disponível em: <http://international.democraciarealya.es/manifesto/>. (N. E.)

*** Idem. (N. E.)

**** Idem. (N. E.)

dessa revolução ética? Se toda a classe política, direita e esquerda, é considerada corrupta e controlada pela cobiça do poder, o manifesto faz uma série de demandas dirigidas a... quem[2]? Não às próprias pessoas: os Indignados (ainda) não afirmam que ninguém fará nada por eles; (parafraseando Gandhi) eles mesmos devem ser a mudança que querem ver.

Reagindo aos protestos de 1968 em Paris, Lacan disse: "O que vocês aspiram como revolucionários é a um novo mestre. Vocês o terão"[3]. Embora esse diagnóstico/prognóstico devesse ser rejeitado enquanto declaração universal sobre todos os motins revolucionários, ele contém uma ponta de verdade: parece que a observação de Lacan encontrou seu alvo (não só) nos Indignados . Na medida em que o protesto permanece no nível de uma provocação histérica ao mestre, sem um programa positivo para que a nova ordem substitua a antiga, ele funciona de fato como um pedido (recusado, é claro) por um novo mestre.

Temos um primeiro vislumbre desse novo mestre na Grécia e na Itália, e a Espanha provavelmente seguirá o mesmo caminho. Como uma resposta irônica à falta de programas específicos dos manifestantes, a tendência agora é substituir os políticos no governo por um governo "neutro" de tecnocratas despolitizados (a maioria banqueiros, como na Grécia e na Itália). Saem os "políticos" coloridos, entram os especialistas cinzas. Essa tendência vai claramente na direção de um estado de emergência permanente e da suspensão da democracia política (lembremos de como Bruxelas reagiu aos eventos políticos na Grécia: com pânico diante da perspectiva de um referendo, com alívio diante da nomeação de um primeiro-ministro especializado). A contrapartida dessa tecnocracia apolítica é o perceptível estreitamento da liberdade em toda a Europa, inclusive na Turquia, que se mostra pouco a pouco como um novo exemplo do capitalismo autoritário: uma série de sinais sombrios (como a prisão de mais de cem jornalistas em 2011 sob a ridícula acusação de terem conspirado para derrubar o governo islamita) indica que a prosperidade econômica e o liberalismo encobrem a ascensão do islamismo autoritário. Em outras palavras, a Turquia, na realidade, está muito longe da imagem, popular no Ocidente, de um país que pode servir como modelo de islamismo tolerante.

---

[2] Durante um debate público em Bruxelas, um membro dos Indignados rejeitou minha crítica, dizendo que eles sabem exatamente o que querem: uma representação política clara e honesta nas eleições, em que a esquerda represente a esquerda real e a direita represente a direita real. No entanto, essa estratégia confucionista da "retificação dos nomes" é insuficiente, se o problema não é apenas a corrupção da democracia representativa, mas a "corrupção" imanente à própria noção de democracia representativa.

[3] Jacques Lacan em Vincennes, 3 de dezembro de 1969: "Ce à quoi vous aspirez comme révolutionnaires, c'est à un maître. Vous l'aurez" [ed. bras. : Jacques Lacan, *O seminário, livro XVII: O avesso da psicanálise* (Rio de Janeiro, Jorge Zahar, 1992), p 196].

Recordemos um incidente único na Turquia, ocorrido em 2011, quando o ministro do Interior, Idris Naim Şahin, fez um discurso digno de um "policial filósofo" chestertoniano. Ele afirmou que a polícia turca estava prendendo milhares de membros do Partido da Paz e da Democracia, sem evidência e sem julgamento, *para convencê-los de que, na verdade, eles eram livres antes de serem presos*. Em suma, os membros do partido foram jogados na prisão para deixar claro que eles estavam cometendo uma contradição pragmática quando afirmavam simultaneamente que: 1) não há liberdade na Turquia; 2) eles foram presos (isto é, a liberdade foi tirada deles) ilegalmente. O discurso de Sahin diz o seguinte:

> Liberdade... de que liberdade vocês estão falando? Então não reclamem quando são presos. Se do lado de fora não há liberdade, aí dentro não é diferente. O fato de vocês reclamarem significa que há liberdade do lado de fora. Há até mesmo liberdade para dizer: "Eu quero dividir o país; liberdade e autonomia não bastam, quero me rebelar" ou o que for. Vocês não podem negar isso. A única coisa que vocês negam são as liberdades existentes. Vocês negam o ser, negam a aceitação. Vocês não têm liberdade para manifestar o ser da liberdade que vivem porque a mente, o coração, o pensamento de vocês foi hipotecado. Vocês não são livres para dizer isso. Não têm liberdade para dizer que as liberdades existentes que vivem até o fim existem. Ao destruir vocês, bem como aquilo ou quem faz vocês falarem, estamos tentando libertar vocês, assim como a suas estruturas, os separatistas e suas ramificações. É isso que estamos fazendo, um trabalho muito profundo, muito sofisticado.[4]

A loucura extremamente ridícula dessa argumentação é um indicativo dos pressupostos "malucos" da ordem legal do poder. Sua primeira premissa é simples: se afirmamos que não existe liberdade em nossa sociedade, então não protestemos quando formos privados de liberdade, posto que não podemos ser privados daquilo que não temos. Mais interessante é a segunda premissa: como a ordem legal existente é a ordem da liberdade, quem se rebela contra ela está escravizado, é incapaz de aceitar sua liberdade – eles se privam da liberdade básica para aceitar o espaço social de liberdade. Portanto, quando a polícia nos prende e nos "destrói", ela está nos libertando, tornando-nos livres de nossa escravidão autoimposta. Assim, prender rebeldes suspeitos e torturá-los torna-se "um trabalho muito profundo, muito sofisticado", com uma dignidade metafísica... Por mais que essa linha de raciocínio pareça se basear em um sofisma primitivo, ela tem uma ponta de verdade: de fato, não há liberdade fora da ordem social que, com o propósito de limitar a liberdade, forneça seu espaço. Mas essa ponta de verdade é o melhor argumento contra ela: precisamente porque o limite institucional à nossa liberdade é a própria forma de nossa liberdade, o importante é como esse limite é estruturado, qual é a forma con-

4 Devo essa referência a Işık Barış Fidaner, de Istambul. Ver também: <http://birgun.net/politics_index.php?news_code=1328479811&year=2012&month=02&day=06> [em turco].

creta desse limite. O truque de quem está no poder – exemplificado pelo policial filósofo turco – é apresentar sua forma desse limite como a forma da própria liberdade, de modo que toda luta contra eles seja a luta contra a sociedade como tal.

A situação da Grécia parece mais promissora que a da Espanha, provavelmente pela tradição recente de auto-organização progressista (que desapareceu na Espanha depois da queda do regime franquista) – embora o nacionalismo de direita também esteja em ascensão na Grécia, direcionando sua fúria tanto contra a União Europeia quanto contra os imigrantes africanos; a esquerda reflete essa virada nacionalista, explodindo contra a União Europeia em vez de voltar seu olhar crítico para seu próprio passado – por exemplo, analisando como o governo de Andreas Papandreu foi um passo fundamental para o estabelecimento do Estado "clientelista" grego. No entanto, mesmo na Grécia o movimento de protesto parece chegar ao auge na auto-organização do povo: os manifestantes mantêm um espaço de liberdade igualitária, sem autoridade central que a regule, um espaço público, em que todos ganham o mesmo tempo para falar etc. Quando os manifestantes começaram a debater o que fazer, como ir além do mero protesto (se deveriam organizar um novo partido político etc.), o consenso foi que naquele momento não era necessário um novo partido ou uma tentativa direta de tomar o poder do Estado, mas um movimento da sociedade civil cujo objetivo fosse pressionar os partidos políticos. Contudo, isso não é suficiente para impor uma nova organização da vida social; para isso, é preciso um corpo político forte, capaz de tomar decisões rápidas e realizá-las com todo o rigor necessário.

Assim, devemos ver nesse desenvolvimento também um desafio: não basta rejeitar o governo especializado e despolitizado como uma forma rude de ideologia; devemos começar a refletir seriamente sobre o que vamos propor no lugar da organização econômica predominante, imaginar e experimentar formas alternativas de organização, procurar os germes do novo naquilo que já existe. O comunismo não é apenas ou sobretudo o carnaval do protesto de massa quando o sistema é momentaneamente interrompido; o comunismo é também, e acima de tudo, uma nova forma de organização, disciplina e trabalho árduo. Independentemente do que se diz sobre Lenin, ele tinha plena ciência dessa necessidade urgente de uma nova disciplina e organização.

Contudo, seguindo uma necessidade propriamente dialética, essa ânsia de inventar novas formas de organização deveria ao mesmo tempo ser mantida à distância: nessa fase, o que deveria ser evitado é exatamente uma rápida transformação da energia dos protestos em uma série de demandas pragmáticas "concretas". Os protestos criaram um vazio – um vazio no campo da ideologia hegemônica, e é preciso tempo para preencher esse vazio de maneira apropriada, porque ele é fecundo, é uma abertura para o verdadeiramente novo. Lembremos aqui da tese provocadora de Badiou: "É melhor não fazer nada do que contribuir para a invenção de maneiras formais de tornar visível aquilo que o Império já reconhece como existente"[5]. Esse gesto negativo dos manifestantes não nos leva de volta ao "Eu preferiria não", de *Bartleby*, de Melville? Bartleby diz: "Eu preferiria não", e *não*: "Eu prefiro (ou desejo) não fazer isso"; com isso, voltamos à distinção de Kant entre juízo negativo e juízo infinito. Ao recusar a ordem do mestre, Bartleby não nega o predicado, ele *afirma um não predicado*: ele não diz que *não quer fazer isso*; ele diz que *prefere (quer) não fazê-lo*. É desse modo que passamos da política da "resistência", que parasita o que nega, para uma política que abre um novo espaço fora da posição hegemônica *e* de sua negação[6]. Nos termos do Occupy Wall Street, os manifestantes não estão dizendo apenas que prefeririam não participar da dança do capital e de sua circulação; eles também "preferem não" depositar um voto crítico (a "nossos" candidatos) ou se envolver em uma forma qualquer de "diálogo construtivo". Esse é o gesto da *subtração* em sua forma mais pura, a redução de todas as diferenças qualitativas a uma mínima diferença puramente formal que abre espaço para o novo[7].

É por esse motivo que não devemos nos preocupar tanto com os ataques ao movimento Occupy Wall Street. As críticas conservadoras diretas são fáceis de responder. Os manifestantes são antiamericanos? Quando fundamentalistas conservadores afirmam que os Estados Unidos são uma nação cristã, devemos recordar o que é o cristianismo: o Espírito Santo, a comunidade livre e igualitária de fiéis unidos pelo amor. Os manifestantes representam o Espírito Santo, enquanto em Wall Street todos são pagãos que adoram falsos ídolos (encarnados na estátua do touro). Os manifestantes são violentos? Sim, a própria linguagem deles pode parecer violenta (ocupação e tudo mais), mas só são violentos no sentido em que Mahatma Gandhi foi violento. Eles são violentos porque querem dar um basta no modo como as coisas funcionam, mas o que significa essa violência quando comparada à violência necessária para sustentar o funcionamento constante do sistema capitalista global? Eles são chamados de perdedores, mas os verdadeiros perdedores não são os que estão em Wall Street, os que se safaram com a ajuda de centenas de bilhões do nosso dinheiro? Eles são chamados de socialistas, mas nos Estados Unidos já existe socialismo para os ricos. Eles são acusados de não respeitar a propriedade privada, mas as especulações de Wall Street que levaram à crise de 2008 eliminaram mais propriedades privadas conquistadas a duras penas do que se as estivéssemos destruindo agora, dia e noite – basta pensar nas centenas de casas cuja hipoteca

---

[5] Alain Badiou, "Fifteen Theses On Contemporary Art". Disponível em: <http://www.lacan.com/frameXXIII7.htm>.

[6] Para uma elaboração mais detalhada dessa "política de Bartleby", ver as últimas páginas do meu *A visão em paralaxe* (trad. Maria Beatriz de Medina, São Paulo, Boitempo, 2008).

[7] Essa ligação entre o movimento Occupy Wall Street e Bartleby é confirmada ainda pelo irônico fato acidental de que, na narrativa de Melville, o escritório de Bartleby localiza-se em Wall Street.

foi executada. Eles não são comunistas, se comunismo é o sistema que mereceu entrar em colapso em 1990 – e lembramos que os comunistas que ainda detêm o poder atualmente governam o mais implacável dos capitalismos (na China); aliás, o sucesso do capitalismo chinês liderado pelo comunismo é um sinal abominável de que o casamento entre o capitalismo e a democracia está próximo do divórcio. Eles são comunistas em um único sentido: eles não se importam com os bens comuns – os da natureza, do conhecimento – que estão ameaçados pelo sistema. Eles são desconsiderados como sonhadores, mas os verdadeiros sonhadores são os que pensam que as coisas podem continuar o que são por um tempo indefinido, assim como ocorre com as mudanças cosméticas. Eles não são sonhadores, mas estão despertando de um sonho que está se transformando em pesadelo. Não estão destruindo nada, estão apenas reagindo ao fato de que o sistema está destruindo pouco a pouco a si mesmo. Todos conhecemos a cena clássica dos desenhos animados: o gato chega à beira do precipício e continua caminhando, ignorando o fato de que não há chão sob suas patas; ele só começa a cair quando olha para baixo e vê o abismo. O que os manifestantes estão fazendo é simplesmente levar os que estão no poder a olhar para baixo.

Essa é a parte fácil. Os manifestantes precisam ter cuidado não só com os inimigos, mas também com os falsos amigos, que fingem apoiá-los, mas já estão fazendo de tudo para diluir o protesto. Da mesma maneira que compramos café sem cafeína, cerveja sem álcool e sorvete sem gordura, eles tentarão transformar os protestos em um gesto moral inofensivo. No boxe, *clinch* significa segurar o corpo do oponente com um ou dois braços para prevenir ou impedir socos. A reação de Bill Clinton aos protestos de Wall Street é um caso perfeito de *clinch* político: ele acredita que os protestos são "no cômputo geral [...] algo positivo", mas está preocupado com a nebulosidade da causa: "Eles precisam defender algo específico, em vez de simplesmente lutar contra algo, porque, quando apenas lutamos contra algo, alguém acaba preenchendo o vazio que criamos". Clinton sugeriu que os manifestantes apoiassem o plano de empregos do presidente Obama, o que, segundo ele, criaria "alguns milhões de empregos em um ano e meio". Mas o motivo por que os manifestantes saíram às ruas é o fato de estarem fartos de um mundo em que reciclar latas de Coca-Cola, dar alguns dólares para a caridade ou comprar um *cappuccino* na Starbucks, que destina 1% da renda ao Terceiro Mundo, são suficientes para se sentir bem.

Os protestos de Wall Street são um começo, e é preciso começar dessa maneira, com um gesto formal de rejeição – mais importante do que um conteúdo positivo –, pois somente um gesto desse tipo abre espaço para o novo conteúdo. Os manifestantes de Wall Street são constantemente bombardeados pela eterna questão: "O que eles querem?". Recordemos que essa é a pergunta arquetípica do mestre à mulher histérica: "Tanta queixa e lamúria – você sabe realmente o que quer?". No sentido psicanalítico, os protestos são de fato atos histéricos, que provocam o mestre, solapam sua autoridade, e a pergunta "Mas o que você quer?" visa exatamente impedir a verdadeira resposta. Seu propósito é: "Diga nos meus termos ou cale-se!". Desse modo, nós bloqueamos efetivamente o processo de transformação de um protesto incipiente em um projeto concreto.

A arte da política também é insistir em uma demanda particular, que, embora totalmente "realista", perturba o próprio núcleo da ideologia hegemônica, isto é, embora definitivamente factível e legítima, é impossível *de facto* (a assistência médica universal é um exemplo). No rescaldo dos protestos de Wall Street, deveríamos definitivamente mobilizar as pessoas para essas demandas; no entanto, também é importante continuarmos *subtraídos* do campo pragmático das negociações e das propostas "realistas'. Devemos sempre ter em mente que qualquer debate, aqui e agora, é necessariamente um debate no território inimigo: é preciso tempo para desenvolver o novo conteúdo. Tudo que dissermos agora pode ser tomado (recuperado) de nós – tudo, exceto nosso silêncio. Esse silêncio, essa rejeição ao diálogo e a todas as formas de *clinch* é o nosso "terror", agourento e ameaçador como deve ser.

Essa ameaça foi claramente percebida por Anne Applebaum. O símbolo de Wall Street é uma escultura de bronze de um touro, instalada bem no seu centro – e as pessoas comuns estavam recebendo ultimamente um belo monte de merda que vinha dali*. Embora as reações normais ao movimento fossem as asneiras vulgares e previstas, Applebaum propôs no *Washington Post* uma versão mais perfumada e sofisticada, que até fazia referências a Monty Python. (Ela fez a cáustica observação de que o "microfone humano" que repetiu as palavras do orador lembrou a famosa cena de *A vida de Brian*, em que a multidão repete, sem refletir, as palavras de Brian: "Somos indivíduos livres, não uma multidão cega". É claro que essa observação é extremamente injusta: ela ignora o fato de que os manifestantes agiram desse modo porque a polícia os proibiu de usar alto-falantes – a repetição garantiu que todos ouvissem as palavras do orador. Não obstante, devemos reconhecer que esse procedimento de repetição mecânica tornou-se um ritual propriamente dito, gerando sua própria *jouissance*, cuja economia está aberta a críticas.) Como a versão negativa de Applebaum ao apelo de Clinton a propostas concretas representa a ideologia em sua forma mais pura, ela merece ser citada em detalhes. A base de seu raciocínio é que os manifestantes no mundo todo são

> similares em sua falta de foco, em sua natureza incipiente e, acima de tudo, em sua recusa a participar das instituições democráticas existentes. Em Nova York,

* No original, o autor faz um jogo de palavras usando os termos *bull* (touro) e *shit* (merda), que juntos geram a expressão *bullshit* (asneira, disparate). (N. E.)

> os manifestantes cantaram "essa é a cara da democracia", mas na verdade essa não é a cara da democracia. É a cara da liberdade de expressão. Democracia soa um pouco mais chato. Democracia requer instituições, eleições, partidos políticos, regras, leis, poder judiciário e muitas atividades nada glamorosas e que consomem o tempo. [...] Até agora, em certo sentido, o fracasso do movimento internacional Occupy em produzir propostas legislativas consistentes é compreensível: tanto as fontes da crise econômica como sua solução residem, por definição, fora da competência de políticos locais e nacionais. [...] A emergência de um movimento internacional de protesto sem um programa coerente não é, portanto, um acidente: reflete uma crise mais profunda, sem soluções óbvias. A democracia é baseada na regra da lei; funciona somente dentro de fronteiras nítidas e entre pessoas que se sentem parte de uma mesma nação. Uma "comunidade global" não pode ser uma democracia nacional. E uma democracia nacional não pode impor a submissão de um fundo de cobertura global [*global hedge fund*] de bilhões de dólares com seus quartéis-generais num paraíso fiscal e seus empregados espalhados ao redor do mundo.
> Diferentemente dos egípcios na praça Tahrir, com quem os manifestantes de Londres e Nova York se comparam de maneira aberta (e ridícula), nós temos instituições democráticas no mundo ocidental. Elas são planejadas para refletir, pelo menos de forma grosseira, o desejo de transformação política dentro de uma dada nação. Porém, não podem resolver o desejo de transformação política global, tampouco controlar o que acontece fora de suas fronteiras. Embora eu ainda acredite nos benefícios econômicos e espirituais da globalização – com fronteiras abertas, liberdade de movimento e comércio –, a globalização claramente passou a minar a legitimidade das democracias ocidentais.
> Os ativistas "globais", se não forem cuidadosos, acelerarão seu declínio. Manifestantes em Londres gritam "Precisamos de um processo!". Bem, eles já têm um processo: chama-se sistema político britânico. E, se não souberem usá-lo, simplesmente o enfraquecerão.[8]

A primeira coisa que devemos observar é que Applebaum reduz os protestos da praça Tahrir a apelos a uma democracia de estilo ocidental – depois disso, torna-se obviamente ridículo comparar os protestos de Wall Street com os eventos no Egito: como os manifestantes daqui podem reivindicar o que já temos, isto é, instituições democráticas? O que se perde nessa visão, portanto, é o descontentamento geral com o sistema capitalista global, que, é claro, assume diferentes formas aqui e ali.

Mas a parte mais chocante da argumentação de Applebaum, uma lacuna realmente estranha em sua argumentação, está no fim: depois de reconhecer que as injustas consequências econômicas do sistema financeiro capitalista global estão, em virtude de seu caráter internacional, fora do controle dos mecanismos democráti-

[8] Anne Applebaum, "What the Occupy protests tell us about the limits of democracy". Disponível em: <http://www.washingtonpost.com/opinions/what-the-occupy-protests-tell-us-about-the-limits-of-democracy/2011/10/17/gIQAay5YsL_story.html>.

cos, os quais, por definição, limitam-se aos Estados-nação, ela chega à conclusão necessária de que "a globalização começou claramente a solapar a legitimidade das democracias ocidentais". Poderíamos dizer que, até aí, está tudo bem: é exatamente para isso que os manifestantes chamam a atenção – o capitalismo global solapa a democracia. Mas, em vez de chegar à única consequência lógica – que deveríamos começar a pensar como expandir a democracia para além de sua forma política estatal multipartidária, o que obviamente deixa de fora as consequências destrutivas da vida econômica –, ela faz uma estranha meia-volta e transfere a culpa para os próprios manifestantes que começaram a levantar essas questões. O último parágrafo merece ser repetido:

> Os ativistas "globais", se não forem cuidadosos, acabarão acelerando esse declínio. Em Londres, os manifestantes gritam: "Precisamos de um processo!". Ora, eles já têm um processo: o sistema político britânico. E, se não descobrirem como usá-lo, eles apenas o enfraquecerão ainda mais.

Assim, uma vez que a economia global está fora do escopo da política democrática, qualquer tentativa de expandir a democracia até ela acelerará o declínio da democracia. O que podemos fazer então? Engajar-nos no sistema político existente, que, segundo a própria explicação de Applebaum, *não pode* realizar essa tarefa.

É neste ponto que deveríamos ir até o fim: hoje, o que não falta é anticapitalismo; estamos assistindo até a uma sobrecarga de crítica aos horrores do capitalismo: livros, investigações profundas em jornais e matérias de TV estão cheios de empresas que poluem implacavelmente nosso ambiente, de banqueiros corruptos que continuam recebendo bônus polpudos, apesar de os bancos precisarem ser salvos pelo dinheiro público, de fábricas clandestinas em que crianças fazem horas extras etc. etc. No entanto, há uma armadilha nesse excesso de crítica: o que em geral não é questionado, por mais cruel que seja, é o quadro liberal democrata da luta contra esses excessos. O objetivo (explícito ou implícito) é democratizar o capitalismo, estender o controle democrático à economia por meio da pressão da mídia pública, dos inquéritos parlamentares, de leis mais rigorosas, de investigações políticas honestas etc., mas sem questionar o quadro institucional democrático do Estado de direito (burguês). Essa é ainda a vaca sagrada que nem mesmo as formas mais radicais de "anticapitalismo ético" (o fórum de Porto Alegre, o movimento de Seattle) ousam tocar.

É neste ponto que a principal percepção de Marx ainda é válida, talvez mais do que nunca: para ele, a questão da liberdade não deveria ser circunscrita, em primeiro lugar, à esfera política propriamente dita (o país tem eleições livres?, os juízes são independentes?, a imprensa é livre de pressões ocultas?, os direitos humanos são respeitados...? – e a lista similar de diferentes questões "independentes" – e não tão independentes – usada pelas instituições ocidentais quando querem proferir um juízo sobre um país). A chave para a efetiva liberdade, ao contrário, está na rede "apolítica" das relações sociais, do mercado à família, em que a mudança necessária, se quisermos uma melhoria efetiva, não é uma reforma política, mas uma mudança nas relações sociais "apolíticas" de produção. Não votamos em quem é dono de quê, nas relações em uma fábrica etc., tudo isso fica a cargo de processos que estão fora da esfera política, e é uma ilusão esperar que possamos mudar as coisas ao "estender" a democracia para essa esfera, por exemplo, organizando bancos "democráticos", sob controle do povo. As mudanças radicais nesse domínio deveriam ser feitas fora da esfera dos "direitos" legais etc.: nos procedimentos "democráticos" (que, é claro, podem ter um papel positivo a desempenhar), não importa quão radical seja o nosso anticapitalismo, a solução é buscada na aplicação dos mecanismos democráticos – os quais, jamais podemos nos esquecer, fazem parte dos aparatos estatais do Estado "burguês" que garante o funcionamento tranquilo da reprodução capitalista. Nesse sentido preciso, Badiou estava certo em sua afirmação aparentemente estranha: "Hoje, o inimigo não se chama império ou capital. O nome dele é democracia"[9]. É a "ilusão democrática", a aceitação dos mecanismos democráticos como o maior arcabouço de qualquer mudança que impede a mudança radical das relações capitalistas.

A dificuldade de formular um programa concreto tem razões profundas. Os manifestantes chamam a atenção para dois pontos principais. Primeiro, as consequências sociais destrutivas do sistema capitalista global: centenas de bilhões foram perdidos em especulações financeiras sem controle etc. Segundo, a globalização econômica está pouco a pouco, porém inexoravelmente, solapando a legitimidade das democracias ocidentais. Por causa de seu caráter internacional, processos econômicos amplos não podem ser controlados pelos mecanismos democráticos que, por definição, limitam-se aos Estados-nação. Dessa maneira, as pessoas entendem cada vez mais as formas democráticas institucionais como incapazes de apreender seus interesses vitais. Por baixo da profusão de declarações (muitas vezes confusas), o movimento Occupy Wall Street implica duas ideias básicas: (1) o descontentamento com o capitalismo *enquanto sistema* (o problema é o sistema capitalista como tal, não sua corrupção particular); (2) a percepção de que a forma institucionalizada da democracia representativa multipartidária não é suficiente para combater os excessos capitalistas, isto é, a democracia precisa ser reinventada. Isso nos coloca no cerne dos protestos de Wall Street: como expandir a democracia para além de sua forma política multipartidária, que é obviamente impotente quando confrontada com as consequências destrutivas da vida econômica? Existe um nome para essa democracia reinventada além do sistema representativo multipartidário? Sim, *ditadura do proletariado*.

---

[9] Alain Badiou, "Prefazione all'edizione italiana", em *Metapolitica* (Nápoles, Cronopio, 2002), p. 14.

Em seu último livro, cujo título maravilhosamente intricado é *Sarkozy: pior que o previsto. Os outros: esperar o pior*[10], Badiou apresenta um argumento elaborado contra a participação no voto "democrático": mesmo quando uma eleição é "livre" de fato, e mesmo quando um candidato é nitidamente mais desejado que outros (por exemplo, um antirracista contra um populista anti-imigração), deveríamos nos subtrair do voto, posto que a verdadeira *forma* do voto multipartidário organizado por um Estado é corrompida em um nível formal e transcendental. O que importa é o próprio ato formal do voto, da participação no processo, o que representa a aceitação da própria forma, independentemente da escolha particular que se faça. A exceção que deveríamos permitir a essa regra universal são aqueles raros momentos em que o conteúdo (uma das opções apresentadas) implicitamente solapa a forma do voto. Isso quer dizer que deveríamos ter em mente o paradoxo circular que sustenta o "voto livre" em nossas sociedades democráticas: no voto democrático, somos livres para escolher, desde que façamos a escolha certa – é por esse motivo que, quando a escolha é "errada" (como no caso da Irlanda, que rejeitou a União Europeia, ou do primeiro-ministro grego, que propôs um referendo), ela é tratada como um erro, e o *establishment* imediatamente impõe uma repetição para dar ao país a chance de corrigir o erro e fazer a escolha certa (ou, no caso da Grécia, a própria proposta do referendo foi rejeitada como uma escolha falsa).

Por isso, não devemos ter medo de chegar à única conclusão resultante do fato – perturbador para os liberais democratas – de que a primavera egípcia acabou (por ora, já que a batalha ainda está longe do fim) com o triunfo eleitoral dos islamitas, cujo papel na revolta contra Mubarak há um ano foi insignificante: "eleições livres" ou revolta emancipatória autêntica, como preferirmos. Em termos rousseaunianos, foi a multidão na praça Tahrir, ainda que não uma maioria matemática, que encarnou a verdadeira *volonté générale* – e, com respeito ao movimento Occupy Wall Street, foi a pequena multidão no Zuccotti Park que efetivamente representou os "99%" e estava certa de desconfiar da democracia institucionalizada.

É claro que o problema continua: como institucionalizar a tomada coletiva de decisões para além do arcabouço da democracia multipartidária? Quem será o agente dessa reinvenção? Ou, para colocar de maneira brutal: quem sabe o que fazer atualmente? Confrontados com as demandas dos manifestantes, os intelectuais definitivamente não estão na posição do Sujeito Suposto Saber: eles não podem operacionalizar essas demandas, traduzi-las em propostas para medidas realistas, detalhadas e precisas. Com a queda do comunismo do século XX, eles perderam para sempre o papel da vanguarda que conhece as leis da história e pode guiar os inocentes em seu caminho. O povo, no entanto, também não sabe disso – o "povo"

[10] Ver Alain Badiou, *Sarkozy: pire que prévu. Les autres: prévoir le pire* (Paris, Lignes, 2012).

como nova figura do Sujeito Suposto Saber é um mito do partido que afirma agir em seu benefício, desde a diretriz de Mao para "aprender com os fazendeiros" até o famoso apelo de Heidegger a seu velho amigo fazendeiro no curto texto "Por que ficamos na província?", de 1934, um mês depois de ele ter renunciado ao cargo de reitor da Universidade de Freiburg:

> Recentemente, fui convidado pela segunda vez a lecionar na Universidade de Berlim. Na ocasião, deixei Freiburg e me recolhi a minha cabana. Escutei o que as montanhas, as florestas e as terras de cultivo me diziam e fui visitar um velho amigo, um fazendeiro de 75 anos. Ele leu nos jornais sobre o chamado de Berlim. O que diria? Sem pressa, fixou os olhos claros e certeiros nos meus e, sem abrir a boca, colocou refletidamente a mão leal em meu ombro. Jamais ele havia balançado a cabeça de modo tão suave. Isso significava: absolutamente não![11]

Só podemos imaginar o que estava pensando o velho fazendeiro; é bem provável que soubesse a resposta que Heidegger queria e educadamente a tenha fornecido. Sendo assim, nenhuma sabedoria de nenhum homem comum dirá aos manifestantes *warum bleiben wir in Wall Street* [por que ficar em Wall Street]. Não há um Sujeito que saiba, não o são os intelectuais, tampouco o povo comum. Não seria este o impasse, um homem cego conduzindo um homem cego ou, mais precisamente, cada um pressupondo que o outro não é cego? Não, porque sua respectiva ignorância não é simétrica: quem tem a resposta são as pessoas, elas só não sabem as perguntas para as quais têm (ou melhor, são) a resposta. John Berger escreveu sobre as "multidões" daqueles que se encontram do lado errado do muro [*Wall*] (que separa os que estão dentro dos que estão fora):

> As multidões têm respostas para perguntas que ainda não foram feitas e têm a capacidade de sobreviver aos muros. As perguntas ainda não foram feitas porque fazê-las requer palavras e conceitos que soam verdadeiros, e os que estão sendo usados para nomear eventos tornaram-se insignificantes: democracia, liberdade, produtividade etc. Com novos conceitos, as perguntas logo serão feitas, porque a história envolve exatamente esse processo de questionamento. Logo? Em uma geração.[12]

Claude Lévi-Strauss escreveu que a proibição do incesto não é uma questão, um enigma, mas uma resposta para uma questão que não conhecemos. Deveríamos tratar as demandas dos protestos de Wall Street de maneira semelhante: os intelectuais não devem tomá-las sobretudo como demandas, como questões para as quais

---

[11] Disponível em: <http://www.stanford.edu/dept/relstud/Sheehan/pdf/heidegger_texts_online/1934%20%20WHY%20DO%20I%20STAY%20IN%20THE%20PROVINCES%20.pdf> [ed. bras.: "Por que ficamos na província", *Revista de Cultura Vozes*, ano 71, n. 4, 1977, p. 44-6].

[12] John Berger, "Afterword", em Andrey Platonov, *Soul* (Nova York, New York Review Books, 2007), p. 317.

devem produzir respostas claras ou programas sobre o que fazer. Elas são respostas, e os intelectuais deveriam propor questões para essas respostas. Trata-se de uma situação como a da psicanálise, em que o paciente sabe a resposta (seus sintomas são as respostas), mas não sabe a que ela responde, e o analista tem de formular a questão. É somente por meio desse trabalho paciente que um programa surgirá.

Conta uma velha piada da antiga República Democrática Alemã que um trabalhador alemão consegue um emprego na Sibéria; sabendo que todas as suas correspondências serão lidas pelos censores, ele diz para os amigos: "Vamos combinar um código: se vocês receberem uma carta minha escrita com tinta azul, ela é verdadeira; se a tinta for vermelha, é falsa". Depois de um mês, os amigos receberam a primeira carta, escrita em azul: "Tudo é uma maravilha por aqui: as lojas estão abastecidas, a comida é abundante, os apartamentos são amplos e aquecidos, os cinemas exibem filmes ocidentais, há mulheres lindas prontas para um romance – a única coisa que não temos é *tinta vermelha*". Essa situação não é a mesma que vivemos até hoje? Temos toda a liberdade que desejamos, a única coisa que nos falta é a "tinta vermelha": nós nos "sentimos livres" porque nos falta a linguagem para articular nossa falta de liberdade. O que a falta de tinta vermelha significa é que, hoje, todos os principais termos que usamos para designar o conflito atual – "guerra ao terror", "democracia e liberdade", "direitos humanos" etc. etc. – são termos *falsos*, que mistificam nossa percepção da situação, em vez de permitirem que pensemos nela. A tarefa, hoje, é dar tinta vermelha aos manifestantes.

7

The Wire ou O que fazer em épocas não eventivas

"Quem é David Guetta?", perguntei ao meu filho de doze anos quando ele disse, triunfante, que assistiria a uma apresentação de Guetta. Meu filho me olhou como se eu fosse um completo idiota e respondeu: "Quem é Mozart? Procure Mozart no Google e terá 5 milhões de resultados, procure Guetta e terá 20 milhões!". Procurei Guetta no Google e descobri que, de fato, ele é algo como um curador de arte da atualidade: não apenas um DJ, mas um DJ "ativo", que tanto solicita quanto mixa e compõe as músicas que toca, como os curadores de arte que deixaram de apenas coletar obras para exposições, mas muitas vezes solicitam sua criação, explicando o que querem para os artistas. O mesmo vale para David Simon, uma espécie de curador da multidão de diretores e roteiristas (inclusive Agnieszka Holland) que colaboraram em *The Wire* [*A escuta*]*. As razões não são apenas e simplesmente comerciais; trata-se também do nascimento de um novo processo coletivo de criação. É como se o *Weltgeist* hegeliano tivesse se deslocado do cinema para as séries de TV, embora ainda esteja em busca de sua forma: em *The Wire*, a *Gestalt* interior *não* é de uma série – o próprio Simon se referiu à série como um único filme de 66 horas. Além disso, *The Wire* não resulta de um processo de criação coletiva, mas de algo mais: advogados reais, viciados em drogas, policiais etc. representam a si próprios; até mesmo os nomes dos personagens são junções de nomes de pessoas reais de Baltimore (Stringer Bell é composto do nome de dois chefões reais do tráfico de Baltimore: Stringer Reed e Roland Bell). *The Wire*, portanto, fornece um tipo de autorrepresentação coletiva de uma cidade, como a tragédia grega, em que a *pólis* punha coletivamente em cena a sua experiência.

Isso significa que, se *The Wire* é um caso de realismo televisivo, não se trata tanto de um realismo-objeto, isto é, de um filme representado por uma unidade social efe-

* Série transmitida no Brasil pelo canal a cabo HBO entre 2002 e 2008 e pela Band a partir de 2011. (N. E.)

tiva definida com exatidão. Esse fato é sinalizado por uma cena-chave em *The Wire*, cuja função é exatamente marcar a distância na direção de qualquer realismo cruel: a famosa investigação "all-fuck" no quarto episódio da primeira temporada. Em um apartamento térreo vazio onde seis meses antes ocorrera um assassinato, McNulty e Bunk, acompanhados do silencioso zelador, tentam reconstituir o crime, e as únicas palavras que dizem durante todo o trabalho são variações de "fuck" – ditas 38 vezes seguidas, de maneiras bem diferentes – que denotam tudo, desde o incômodo do tédio até a euforia do triunfo, desde a dor, a decepção ou o choque diante do horror de um assassinato grotesco até o prazer da surpresa, e isso atinge o clímax na duplicação autorreflexiva de "fuckin' fuck!"[1]. Como demonstração, podemos facilmente imaginar a mesma cena, mas com cada "fuck" substituído por uma expressão mais "normal": "De novo, mais uma foto", "Ai, isso dói!", "Isso, entendi!" etc... Essa cena funciona em níveis múltiplos: (1) usa a palavra proibida nos canais de TV aberta; (2) serve como sedução (depois de horas de material "sério", ela é feita para funcionar como o ponto em que o espectador típico se apaixona pela série); (3) a pura piada fálica marca a distância em relação ao sério drama social realista.

Mais uma vez, com que realismo estamos lidando aqui? Comecemos com o título: "wire" tem conotações múltiplas (andar na corda bamba e, é claro, ser grampeado), mas a principal é clara: "O título se refere a uma fronteira quase imaginária, porém consagrada, entre as duas Américas"[2], isto é, aqueles que participam do sonho americano e aqueles que ficam para trás[3]. O tema de *The Wire*, portanto, é a luta de classes *tout court*, o real de nossa época, inclusive de suas consequências culturais:

> Então aqui, em uma proximidade geográfica absoluta, duas culturas existem sem contato e sem interação, e até mesmo sem nenhum conhecimento uma da outra: como o Harlem e o resto de Manhattan, como a Cisjordânia e as cidades israelenses que, embora já tenham sido parte dela, agora estão a alguns quilômetros de distância.[4]

As duas culturas são separadas por esse modo bem básico de se referir ao real: uma representa o horror à dependência direta e ao consumo, enquanto na outra a realidade é encoberta[5].

---

[1] Ver a análise detalhada de Emmanuel Burdeau no capítulo 1 de *The Wire: Reconstitution collective* (Paris, Capricci, 2011).

[2] Citado em Tiffany Potter e C. W. Marshall (orgs.), *The Wire: Urban Decay and American Television* (Nova York, Continuum, 2009), p. 228.

[3] *Left Behind* [Deixados para trás] também é o título de uma série de romances fundamentalistas cristãos extremamente populares, escrita por Tim LaHaye e Jerry B. Jenkins: milhões de pessoas desaparecem de repente e "sobreviventes" desvairados começam a buscar amigos e familiares, bem como uma resposta para o que aconteceu.

[4] Fredric Jameson, "Realism and Utopia in The Wire", *Criticism*, v. 52, n. 3-4, 2010, p. 369-70.

[5] Por exemplo, a afirmação de que o afogamento simulado não é tortura é um contrassenso óbvio; então por que, se não causa dor e medo da morte iminente, ele faz "terroristas" calejados falarem?

Podemos até ver no horizonte o perfil dos ricos como uma nova raça biológica, protegidos de doenças e melhorados por clonagem e intervenções genéticas, enquanto as mesmas tecnologias são usadas para controlar os pobres[6]. Simon é muito claro a respeito do concreto pano de fundo histórico dessa cisão radical:

> Alegamos uma guerra contra os narcóticos, mas na verdade estamos simplesmente brutalizando e desumanizando uma subclasse urbana da qual não temos mais necessidade como fonte de trabalho. [...] *The Wire* não era uma história sobre os Estados Unidos, mas sobre os Estados Unidos que ficaram para trás. [...] A guerra contra as drogas é agora uma guerra nas subclasses. Ponto final. Não tem outro significado.[7]

Esse triste quadro geral fornece o pano de fundo para a fatalista visão de mundo de Simon. Ele disse que o propósito de *The Wire* era ser uma tragédia grega, mas com instituições como o Departamento de Polícia ou o sistema escolar no lugar dos deuses – as forças imortais que brincam com os mortais e alegremente os destroem.

> *The Wire* é uma tragédia grega em que as instituições pós-modernas são as forças do Olimpo. O Departamento de Polícia, a economia das drogas, as estruturas políticas, a administração escolar, as forças macroeconômicas, são eles que lançam os raios e acertam o traseiro das pessoas sem nenhum motivo decente.[8]

Nos últimos anos, parece que testemunhamos o advento de uma nova forma de prosopopeia em que a coisa que fala é o próprio mercado: cada vez mais o mercado é citado como uma entidade mítica que reage, alerta, esclarece opiniões etc., e até exige sacrifícios como um antigo deus pagão. Recordemos aqui as manchetes nos noticiários da grande mídia: "Mercado reage com cautela a medidas anunciadas pelo governo para combater o déficit", "A recente queda do índice Dow Jones, surpreendentemente após a boa notícia em relação aos empregos, representa um claro alerta de que o mercado não se contenta com tanta facilidade – serão necessários

---

6 A premissa do filme *O preço do amanhã* (2011), de Andrew Niccol, é que, em 2016, a alteração genética possibilitará à humanidade parar de envelhecer aos 25 anos, mas exigirá que as pessoas ganhem mais tempo depois de completar 25 ou morram no período de um ano. O "tempo de vida", que pode ser transferido entre indivíduos, substituirá o dinheiro, e sua validade será exibida em um implante no antebraço das pessoas: quando o relógio chega a zero, a pessoa morre instantaneamente. A sociedade será dividida em classes sociais que moram em cidades especializadas, chamadas "Zonas de Tempo": os ricos podem viver séculos em cidades luxuosas, enquanto os pobres vivem em guetos formados predominantemente por jovens e devem trabalhar todos os dias para ganhar algumas horas a mais de vida, que também são usadas para pagar necessidades cotidianas. Essa perspectiva distópica de uma sociedade em que a expressão "tempo é dinheiro" é tomada ao pé da letra, e em que os ricos e os pobres estão se tornando raças diferentes, surge como uma opção realista com os desenvolvimentos mais recentes da biogenética.

7 As declarações de Simon são de "The Straight Dope. Bill Moyers interviews David Simon", disponível em: <http://www.guernicamag.com/interviews/2530/simon_4_1_11>.

8 Idem.

mais sacrifícios". Talvez pareça que há uma ambiguidade quanto à identidade precisa dessas "forças olímpicas" nas sociedades contemporâneas: é o sistema de mercado capitalista como tal (que está fazendo a classe trabalhadora desaparecer) ou as instituições estatais? Alguns críticos chegaram a propor uma interpretação de *The Wire* como uma crítica liberal à alienação/ineficiência burocrática. É verdade que a característica básica (e muitas vezes descrita) da burocracia estatal é, em vez de solucionar problemas, reproduzir a si mesma ou criar problemas para justificar sua existência – recordemos aqui a famosa cena de *Brazil, o filme*, de Terry Gillian, em que o protagonista, depois de perceber uma avaria nas instalações elétricas, recebe a visita secreta de um eletricista clandestino (Robert de Niro, em uma breve participação), cujo crime consiste em simplesmente reparar a avaria. A maior ameaça à burocracia, a conspiração mais ousada contra sua ordem é, na verdade, o grupo que resolve os problemas com os quais a burocracia deveria lidar (como a conspiração do grupo de McNulty, que trabalha para realmente acabar com a gangue das drogas). Mas o mesmo não vale para o capitalismo como tal? Seu maior objetivo não é satisfazer as demandas, mas criar sempre mais demandas que possibilitem sua contínua reprodução expandida.

Marx já havia formulado essa ideia do poder arbitrário e anônimo do mercado como uma versão moderna do antigo destino. O título de um dos ensaios sobre *The Wire* – "Greek Gods in Baltimore" [Deuses gregos em Baltimore] – é muito apropriado: os deuses antigos estão de volta! Então *The Wire* não é um equivalente realista dos recentes campeões de bilheteria hollywoodianos, em que um antigo deus ou semideus (Perseu em *Percy Jackson* e Thor em *Thor*) encontra-se no corpo de um adolescente norte-americano confuso? Como essa presença divina é percebida em *The Wire*? Ao contar como o destino afeta os indivíduos e triunfa sobre eles, *The Wire* age de maneira sistemática, e cada uma das sucessivas temporadas dá um passo adiante nessa exploração: a primeira temporada apresenta o conflito, isto é, os traficantes de drogas contra a polícia; a segunda temporada dá um passo atrás para tratar de sua maior causa, ou seja, o desaparecimento da classe trabalhadora; a terceira temporada trata da polícia e das estratégias políticas para resolver o problema e suas falhas; a quarta temporada mostra por que a educação (da juventude negra e desempregada) também é insuficiente; e, por fim, a quinta temporada concentra-se no papel da mídia: por que o público geral nem sequer é informado de maneira adequada da verdadeira dimensão do problema. Como disse Jameson, o procedimento básico de *The Wire* não é se limitar apenas à dura realidade, mas apresentar sonhos utópicos como parte da tessitura do mundo, como parte constituinte da própria realidade. Vejamos quais são suas principais variantes.

Na segunda temporada, Frank Sabotka usa o dinheiro para fortalecer seus próprios contatos, visando um projeto supremo, que é a reconstrução e a revitalização do porto de Baltimore:

Ele entende a história e sabe que o movimento dos trabalhadores e toda a sociedade organizada em torno dele não pode continuar existindo, a não ser que o porto seja recuperado. Este, portanto, é seu projeto utópico, inclusive no sentido estereotípico de ser impraticável e improvável – a história nunca se movimenta para trás dessa maneira – e, na verdade, um sonho inútil, que acabará por destruí-lo, assim como a sua família.[9]

Ainda na segunda temporada, D'Angelo tem cada vez mais dúvidas em relação ao tráfico de drogas. Quando William Gant, testemunha inocente, aparece morto, D'Angelo fica abalado, supondo que seu tio Avon tenha cometido o crime para se vingar de seu testemunho. D'Angelo é questionado por McNulty e Bunk, que o fazem escrever uma carta como pedido de desculpas à família de Gant (em uma maravilhosa manipulação no estilo de Lars von Trier, eles mostram a D'Angelo uma fotografia de dois rapazes, a qual pegaram na mesa do escritório de um colega, como se fosse a foto dos filhos de Gant, agora órfãos). O advogado mafioso Levy chega e detém D'Angelo antes que ele escreva algo comprometedor, e então ele é liberado. Algum tempo depois, quando é preso de novo, D'Angelo decide ser testemunha do Estado contra a organização de seu tio; no entanto, uma visita de sua mãe convence-o de seu dever com a família e ele desfaz o trato. Por se recusar a cooperar, ele é sentenciado a vinte anos de prisão. A mãe que convence D'Angelo a não testemunhar também não estaria mobilizando a utopia familiar?

Na terceira temporada, o major Colvin realiza um novo experimento: sem o conhecimento de seus superiores, ele legaliza as drogas no oeste de Baltimore, criando uma pequena Amsterdã, apelidada de "Hamsterdã"; ali, todos os traficantes de esquina têm permissão para abrir uma loja. Ao consolidar o comércio das drogas, que ele sabe ser impossível de deter, Colvin acaba com as brigas diárias por território, as quais elevam as taxas de homicídio, e melhora radicalmente a vida na maior parte do distrito. Calm retorna para a vizinhança aterrorizada, e seus policiais, livres dos carros e da perseguição interminável aos rapazes que traficavam drogas nas esquinas, retomam o verdadeiro trabalho de polícia, fazem a ronda, conhecem as pessoas a quem servem. (O modelo real aqui é Zurique, e não Amsterdã, onde um parque situado atrás da principal estação de trem da cidade foi declarado zona livre na década de 1980. Além disso, houve um experimento semelhante na própria Baltimore há mais ou menos uma década.)

Ainda na terceira temporada, a própria amizade é considerada uma utopia. Avon e Stringer traem um ao outro, mas, pouco antes do assassinato de Stringer, os dois tomam uma última bebida juntos no condomínio de Avon, próximo ao porto: relembram o passado e agem como se a velha amizade estivesse intacta, apesar de

9 Fredric Jameson, "Realism and Utopia in The Wire", cit., p. 371.

terem se traído. Não se trata simplesmente de falsidade ou hipocrisia, mas sim de uma vontade sincera de ver como as coisas poderiam ter sido – ou, como diz John le Carré em *Um espião perfeito**: "A traição só acontece quando há amor".

Além disso, na quarta temporada, centrada na educação, a utopia será encontrada nos experimentos feitos em sala de aula por Pryzbylewski com computadores e em seu repúdio ao sistema de avaliação imposto pelo Estado e pelas entidades políticas federais. Mas o próprio Stringer Bell não seria uma figura utópica: um autêntico tecnocrata do crime que luta para suprassumir o crime em puro negócio? A ambiguidade subjacente é esta: se essas utopias fazem parte da realidade, se são elas que fazem o mundo girar, então estamos além do bem e do mal? Nos comentários do DVD, Simon aponta na seguinte direção: "*The Wire* não está interessada no bem e no mal, mas na economia, na sociologia e na política". Jameson também é muito apressado em sua rejeição do "sistema ético binário e obsoleto do bem e mal".

> Argumentei alhures contra esse sistema binário: Nietzsche talvez tenha sido o profeta mais dramático a demonstrar que isso é pouco mais do que uma imagem residual da alteridade que ele também procura produzir – o bem somos nós e as pessoas como nós, o mal são os outros e sua diferença radical em relação a nós (diferença de qualquer tipo). Mas na sociedade atual, por todos os tipos de razões (e provavelmente boas razões), a diferença está desaparecendo e, com ela, o próprio mal.[10]

No entanto, essa fórmula parece suave demais. Se descontarmos a identificação pré-moderna (pré-cristã até) do bem com as pessoas como nós (e quanto a amar o próximo/inimigo?), o foco propriamente ético de *The Wire* não seria exatamente o problema do ato ético? O que um indivíduo (relativamente) honesto pode fazer nessas condições? Nos termos de Alain Badiou, essas condições – há uma década, quando *The Wire* estava sendo produzida – eram definitivamente não eventivas: não havia no horizonte o potencial para um movimento de emancipação radical. *The Wire* apresenta todo um arsenal de "tipos de honestidade" (relativa), do que fazer nessas condições, desde McNulty e Colvin até Cedric Daniels, que, com toda a sua disposição para estabelecer compromissos, impõe um limite (ele se recusa a interferir nas estatísticas). O ponto principal é que todas essas tentativas têm de violar o direito de uma maneira ou de outra. Por exemplo, recordemos como McNulty manipula com aptidão o fato de que:

> a vilania na cultura de massa foi reduzida a dois únicos sobreviventes da categoria do mal: esses dois representantes do verdadeiramente antissocial é, de um lado, os *serial killers* e, de outro, os terroristas (a maioria de convicção religiosa, já que a etnicidade

---

* Rio de Janeiro, Record, 1986. (N. E.)

[10] Frederic Jameson, "Realism and Utopia in The Wire", cit., p. 367.

passou a ser identificada com a religião e os protagonistas da política, como os comunistas e os anarquistas, parecem não estar mais disponíveis.[11]

McNulty resolve assegurar o apoio à investigação de Marlo Stanfield (novo chefe do crime depois da queda de Avon), criando a ilusão de um *serial killer* para chamar a atenção da mídia para o Departamento de Polícia: como parte do plano, ele manipula cenas de crime e falsifica anotações sobre o caso. Contudo, a lição básica aqui é que ações individuais não bastam: é preciso dar um passo além para transcender o herói individual e chegar a uma ação coletiva que, em nossas condições, têm de aparecer como conspiração:

> O detetive particular solitário, ou o oficial de polícia dedicado, oferece uma conspiração familiar que remonta aos heróis e aos rebeldes românticos (que começam, suponho, com o Satã de Milton). Aqui, nesse espaço histórico cada vez mais socializado e coletivo, torna-se claro pouco a pouco que a revolta e a resistência genuínas devem assumir a forma de um grupo conspiratório, de um verdadeiro coletivo [...]. Aqui, a própria rebeldia de Jimmy (nenhum respeito pela autoridade, alcoolismo, infidelidade, além de seu idealismo inextirpável) encontra uma improvável série de camaradas e coconspiradores – uma oficial de polícia lésbica, uma dupla de policiais espertos, porém irresponsáveis, um tenente que guarda um segredo do passado, mas pressente que somente essa improvável aventura pode lhe proporcionar algum progresso, um tapado escolhido por nepotismo que acaba mostrando ter um dom notável para os números, diversos assistentes jurídicos e, por fim, um quieto e modesto faz-tudo.[12]

Esse grupo não seria um tipo de grupo protocomunista de conspiradores, ou um grupo de excêntricos que saíram dos romances de Charles Dickens ou dos filmes de Frank Capra? O escritório subterrâneo decadente cedido pela sede da polícia, não seria uma versão do local de conspiração clandestino? A famosa frase de G. K. Chesterton sobre a lei como "a maior e mais ousada de todas as conspirações" tem aqui uma confirmação inesperada. Mais ainda, deveríamos incluir nesse grupo de excêntricos, como membro informal externo, Omar Little, do outro lado da divisa entre lei e crime: o lema de Omar pode ser expresso como a reversão do lema de Brecht em *A ópera dos três vinténs**: o que é fundar um banco (enquanto ação legal) quando comparado a roubar um banco[13]? Omar Little deve ser inserido na mesma

---

[11] Ibidem, p. 368.

[12] Ibidem, p. 363.

* *Teatro completo*, Rio de Janeiro, Paz e Terra, 2004, v. 3. (N. E.)

[13] De maneira semelhante, a lição brechtiana da privatização dos bens comuns intelectuais é: o que é um roubo de propriedade intelectual (pirataria) quando comparado à proteção legal da propriedade intelectual? É por isso que a luta contra o Acordo Comercial Anticontrafação (ACTA) é uma das maiores lutas emancipatórias da atualidade. Os esforços do ACTA para estabelecer padrões internacionais para o exercício dos direitos de propriedade intelectual, com o objetivo explícito de proteger a propriedade intelectual (a maior parte de grandes empresas, é claro). Seu objetivo é estabelecer

categoria do protagonista de *Dexter*, série que estreou nos Estados Unidos em 1º de outubro de 2006. Dexter é especialista forense da polícia de Miami, especializado em manchas de sangue, que nas horas vagas assume o papel de *serial killer*. Ficou órfão aos três anos de idade e foi adotado por Harry Morgan, oficial de polícia de Miami. Depois de descobrir a inclinação homicida do jovem Dexter, e para evitar que ele matasse pessoas inocentes, Harry começa a lhe ensinar "O código": as vítimas de Dexter devem ser assassinos que mataram alguém sem causa justificável e que provavelmente matarão de novo. Como Dexter, Omar também é o policial perfeito disfarçado do seu oposto (*serial killer*), e seu código é simples e pragmático: não mate pessoas que têm autoridade para ordenar a morte de outras pessoas. Mas a figura principal do grupo de conspiradores excêntricos é Lester Freamon. Jameson tem razão em elogiar a genialidade de Lester Freamon:

> [...] não só para solucionar [...] problemas de maneira engenhosa, mas também para transferir parte do interesse pelo puramente misterioso e investigativo para um fascínio pela interpretação e pela resolução de problemas relacionados à engenharia ou à física – isto é, algo muito mais próximo do trabalho manual do que da dedução abstrata. Na verdade, quando foi descoberto e convidado a fazer parte da unidade de investigação especial, Freamon era um oficial praticamente desempregado que passava o tempo livre fazendo cópias em miniatura de móveis antigos (que ele vende): é uma parábola do desperdício da produtividade humana e intelectual e de seu deslocamento – afortunado nesse caso – para atividades mais triviais.[14]

Lester Freamon é o melhor representante do "conhecimento inútil": ele é o intelectual dos conspiradores, não o especialista, e, como tal, é eficiente ao propor soluções para os problemas atuais. Mas o que esse grupo pode fazer? Eles também estão presos em um trágico círculo vicioso em que sua própria resistência contribui para a reprodução do sistema? Devemos ter em mente que há uma diferença fundamental entre a tragédia grega e o universo de *The Wire* – o próprio Simon fala de uma "tragédia grega do novo milênio": "Como grande parte da função da televisão é promover a catarse, a redenção e o triunfo do caráter, acho que uma obra dramática em que as instituições pós-modernas superam a individualidade, a moralidade e a justiça parece diferente em certos aspectos"*. Na catarse crescente de uma tragédia grega, há o herói que encontra sua verdade e atinge a grandeza sublime na própria queda, ao passo que em *The Wire*, o Grande Outro do destino

---

um arcabouço legal internacional para combater produtos falsificados, medicamentos genéricos e a violação dos direitos autorais na internet, e seu trabalho deve ser regulado por um novo órgão governamental fora dos fóruns existentes (outra instituição tecnocrática "apolítica").

[14] Fredric Jameson, "Realism and Utopia in The Wire", cit., p. 363-4.

* Nick Hornby, entrevista com David Simon, *The Believer*, ago. 2007. Disponível em: <http://www.believermag.com/issues/200708/?read=interview_simon>. (N. T.)

governa de maneira diferente, isto é, o sistema (não a vida) simplesmente continua, sem clímax catártico[15].

As consequências narrativas dessa mudança da tragédia antiga para a contemporânea são fáceis de perceber: a falta de abertura narrativa e de um clímax catártico; o fracasso do melodramático benfeitor dickensiano etc.[16] A série de TV como *forma* também encontra sua justificação nessa mudança: nunca chegamos à derradeira conclusão, não só porque nunca chegamos ao criminoso, ou porque sempre há uma conspiração atrás de outra, mas também porque o sistema legal de combate ao crime luta por sua própria reprodução. Essa ideia é transmitida na cena final de *The Wire*, em que McNulty observa de uma ponte o porto de Baltimore, acompanhado de uma série de *flashbacks* e *flashes* da vida cotidiana da cidade. O que temos aqui não é a grande conclusão final, mas uma espécie de ponto de vista proto-hegeliano absoluto de uma distância reflexiva, um recuo do engajamento direto: a cena transmite a ideia de que nossas lutas, esperanças e derrotas fazem parte de um "círculo da vida" mais amplo, cujo verdadeiro objetivo é sua própria reprodução, isto é, a circulação em si. Um argumento semelhante foi elaborado por Marx quando ele percebeu que, embora os indivíduos produzissem para chegar a determinado conjunto de objetivos – isto é, embora do ponto de vista subjetivo finito o objetivo da produção seja os produtos ou objetos que satisfarão as necessidades (imaginárias ou reais) das pessoas –, do ponto de vista absoluto do sistema enquanto totalidade a satisfação das necessidades dos indivíduos é, em si, apenas um meio necessário para manter em funcionamento o maquinário da (re)produção capitalista.

A abertura narrativa da forma é fundamentada, portanto, em seu conteúdo: como disse Jameson, *The Wire* é um romance policial em que o culpado é a totalidade social, todo o sistema, e não um único criminoso (ou um grupo de criminosos) – e como devemos representar (ou melhor, interpretar) na arte a totalidade do capitalismo contemporâneo? Em outras palavras, a totalidade não é *sempre* a maior culpada? Então o que há de específico na tragédia contemporânea? A questão é que o Real do sistema capitalista é abstrato, um movimento abstrato-virtual do capital – e aqui devemos mobilizar a diferença lacaniana entre realidade e Real: a realidade mascara o Real. O "deserto do Real" é o movimento abstrato do capital, e foi nesse sentido que Marx falou da "abstração real", ou,

---

[15] Jon Stewart observou certa vez que imagina que, depois de eleito, todo novo presidente dos Estados Unidos é levado ao encontro de cinco pessoas de quem nunca havia ouvido falar, e elas explicam a ele como as coisas realmente funcionam no país.

[16] *The Wire* seria então um seriado "dickensiano"? Bill Moyers disse: "um dia, enquanto assistia a alguns episódios de *The Wire*, da HBO, tive um lampejo: Dickens havia voltado e seu nome era David Simon". No entanto, o que falta em *The Wire* é exatamente o melodrama dickensiano com a intervenção de um benfeitor no último minuto etc.

como disse Ed Burns, coprodutor de *The Wire*: "só fazemos alusão ao real, o real é muito poderoso". Marx descreveu a má circulação do capital, que se aperfeiçoa e cujo caminho solipsista da autofecundação chega ao apogeu nas especulações metarreflexivas da atualidade sobre os futuros[17]. É simplista demais afirmar que o espectro desse monstro que se aperfeiçoa e segue seu caminho negligenciando qualquer preocupação humana ou ambiental seja uma abstração ideológica, e que por trás dessa abstração haja pessoas reais e objetos naturais em cujos recursos e capacidades produtivas se baseia a circulação do capital e dos quais o capital se alimenta como um parasita gigante. O problema é que, além de estar em nossa má percepção da realidade social da especulação financeira, essa abstração é real no sentido preciso de determinar a estrutura dos processos sociais materiais: o destino de todas as camadas da população, e por vezes de países inteiros, pode ser decidido pela dança especulativa solipsista do capital, que persegue seu objetivo de lucratividade com uma indiferença abençoada em relação ao modo como seu movimento afetará a realidade social.

Desse modo, o problema de Marx não é primeiramente reduzir essa segunda dimensão à primeira, ou seja, demonstrar como a má dança teológica das mercadorias surge dos antagonismos da "vida real". Seu problema, ao contrário, é que *não se pode apreender propriamente a primeira (a realidade social da produção material e da interação social) sem a segunda*: é a dança metafísica autopropulsora do capital que conduz as coisas, fornece a chave para os desenvolvimentos e as catástrofes da vida real. Nisso reside a violência sistêmica fundamental do capitalismo, muito mais misteriosa que qualquer violência pré-capitalista socioideológica direta: essa violência não é mais atribuível aos indivíduos concretos e a suas "más" intenções, mas é puramente "objetiva", sistêmica, anônima. Aqui encontramos a diferença lacaniana entre realidade e real: "realidade" é a realidade social das pessoas reais envolvidas na interação e nos processos de produção, ao passo que o real é o "abstrato" inexorável, a lógica espectral do capital que determina o que acontece na realidade social. Podemos perceber essa lacuna de maneira palpável quando visitamos um país em que a vida está nitidamente em desordem, em completa ruína ambiental e miséria humana; no entanto, os relatórios dos economistas afirmam que a situação econômica do país é "financeiramente sã" – a realidade não importa, o que importa é a situação do capital...

---

[17] Os estágios na modalidade predominante do dinheiro parecem obedecer à tríade lacaniana RSI: o ouro funciona como o real do dinheiro (ele "realmente vale" seu valor nominal); com o dinheiro de papel, nós entramos no registro simbólico (o papel é o símbolo do valor do ouro, mas não vale nada em si); e, por fim, a modalidade emergente é puramente "imaginária" – o dinheiro existirá cada vez mais como um ponto puramente virtual de referência, de contabilidade, sem nenhuma forma efetiva, real ou simbólica (sem nenhum "dinheiro em espécie").

Mais uma vez, a questão é: quais seriam os correlatos estéticos desse real, o que seria um "realismo da abstração"[18]? Precisamos de uma nova poesia, similar ao que G. K. Chesterton imaginou como uma "poesia copernicana":

> Seria uma especulação interessante imaginar se o mundo chegará a desenvolver uma poesia copernicana e um hábito copernicano de fantasiar; se algum dia falaremos de "início da rotação da Terra", em vez de "início da aurora", e se falaremos indiferentemente de erguer os olhos para as margaridas ou baixar os olhos para as estrelas. Mas se algum dia o fizermos, haverá de fato uma quantidade imensa de fatos fantásticos e grandiosos nos aguardando, dignos da construção de uma nova mitologia.[19]

No início de *Orfeu*, de Monteverdi, a deusa da música apresenta-se com as palavras: "Io sono la musica..." – isso não foi algo que mais tarde, quando os sujeitos "psicológicos" invadissem o palco, tornou-se impensável, ou melhor, irrepresentável? Foi preciso esperar até 1930 para que essas criaturas estranhas reaparecessem no palco. Nas "peças de aprendizado" de Bertolt Brecht, um ator entra no palco e dirige-se ao público: "Sou um capitalista. Vou me aproximar de um trabalhador e tentar enganá-lo com meu discurso sobre a igualdade do capitalismo...". O encanto desse procedimento está na combinação psicologicamente "impossível" de dois papéis distintos num mesmo ator, como se uma pessoa da realidade diegética da peça pudesse sair de si mesma de tempos em tempos e fazer comentários "objetivos" sobre seus atos e atitudes. É assim que devemos ler a frase de Lacan – "C'est moi, la vérité, qui parle" [Sou eu, a verdade, que falo] – em "A coisa freudiana"*, isto é, como o surgimento chocante de um mundo onde não o esperamos – é a Coisa em si que começa a falar.

Em uma famosa passagem de *O capital*, Marx recorre à prosopopeia para trazer à tona a lógica oculta da troca e da circulação das mercadorias:

> Se as mercadorias pudessem falar, diriam: É possível que nosso valor de uso interesse ao homem. Ele não nos compete enquanto coisas. Mas o que nos compete enquanto coisas é nosso valor. Nossa própria circulação como coisas mercantis demonstra isso. Nós nos relacionamos umas com as outras somente como valores de troca.[20]

---

[18] Tomei essa expressão emprestada de Alberto Toscano e Jeff Kinkle, "Baltimore as World and Representation: Cognitive Mapping and Capitalism in *The Wire*". Disponível em: <http://dossierjournal com/read/theory/baltimore-as-world-and-representation-cognitive-mapping-and-capitalism-in--the-wire>.

[19] G. K. Chesterton, *The Defendant*. Disponível em: <http://www.online-literature.com/chesterton/the-defendant/6/>.

* Jacques Lacan, "A coisa freudiana ou O sentido do retorno a Freud em psicanálise", em *Escritos* (trad. Vera Ribeiro, Rio de Janeiro, Zahar, 1998), p. 410. (N. T.)

[20] Karl Marx, *O capital* (trad. Regis Barbosa e Flávio R. Kothe, São Paulo, Nova Cultural, 1996), p. 207.

Será possível imaginarmos uma prosopopeia operística, uma ópera em que mercadorias cantem, e não as pessoas que as trocam? Talvez seja somente dessa maneira que se possa encenar o capital.

Aqui encontramos a limitação formal de *The Wire*: ela não soluciona a tarefa formal de como transmitir, em uma narrativa de TV, o universo em que reina a abstração. O limite de *The Wire* é o limite do realismo psicológico: o que falta na retratação que *The Wire* faz da realidade objetiva, inclusive de seus sonhos utópicos subjetivos, é a dimensão do "sonho objetivo", da esfera virtual/real do capital. Para evocar essa dimensão, temos de romper com o realismo psicológico (talvez uma das maneiras de fazer isso seja apelar para clichês ridículos, como fizeram Brecht e Chaplin nas representações de Hitler em *Arturo Ui* e *O grande ditador*)[21].

Mas essa suspensão da dimensão psicológica, essa redução de pessoas a clichês, não seria um ato de violenta abstração? Para responder de maneira apropriada a essa crítica, citamos *Líbano*, um filme de Samuel Maoz sobre a guerra de 1982 no Líbano. Ele se baseia nas memórias do próprio Maoz da época em que era um jovem soldado e reproduz a claustrofobia e o medo da guerra filmando a maior parte da ação de dentro de um tanque. Acompanha quatro soldados inexperientes enviados para "varrer" os inimigos de uma cidade libanesa que já havia sido bombardeada pela Força Aérea israelense. Ao ser entrevistado no Festival de Veneza, em 2009, Yoav Donat, ator que interpretou o jovem soldado Maoz, disse: "Esse filme faz você sentir como se tivesse ido para a guerra". Maoz afirmou que seu filme não era uma condenação das políticas de Israel, mas um relato pessoal do que aconteceu: "O erro que cometi foi ter chamado o filme de 'Líbano' porque a guerra do Líbano, em sua essência, não difere em nada de qualquer outra guerra, e, para mim, qualquer tentativa de ser político enfraqueceria o filme"[22]. Isto é ideologia em sua forma mais pura: o foco na experiência traumática do perpetrador permite ignorar todo o pano de fundo ético-político do conflito – o que o Exército israelense fazia nos confins do Líbano etc.? Essa "humanização" serve para encobrir a questão principal: a necessidade de uma análise política implacável dos interesses envolvidos em nossa atividade político-militar.

Aqui, é claro, encontramos mais uma vez a pergunta contrária: mas por que a representação do horror e da perplexidade do combate não seria um tópico legítimo da arte? Esse tipo de experiência pessoal também não faz parte da guerra? Por que as re-

---

21 Esse movimento para além do realismo psicológico é claramente assinalado pelo fato de que o símbolo dos manifestantes do movimento Occupy Wall Street tornou-se a famosa máscara sorridente (de *V de vingança*), que não deveria ser vista apenas como uma proteção contra o controle da polícia (evitando a identificação dos manifestantes); a máscara contém uma ideia muito mais refinada: a única maneira de dizer a verdade é colocando uma máscara no rosto, ou, como afirma Lacan, a verdade tem a estrutura da ficção.

22 Silvia Aloisi, "Israeli Film Relives Lebanon War from Inside Tank", *Reuters*, 8 set. 2009.

presentações artísticas da guerra deveriam se limitar às grandes divisões políticas que determinam o conflito? A guerra não é uma totalidade multifacetada? De maneira abstrata, tudo isso é verdadeiro; no entanto, o que se perde de vista é que o verdadeiro significado global de uma guerra e de uma experiência pessoal não podem coexistir: a experiência individual da guerra, não importa quão "autêntica" seja, estreita inevitavelmente o alcance da guerra e, como tal, é uma *abstração violenta da totalidade*. Por mais rude que soe, recusar a luta não significa o mesmo para um soldado nazista que mata judeus em um gueto e para um *partisan* que resiste aos nazistas; do mesmo modo, na guerra de 1982 no Líbano, o "trauma" do soldado israelense enfiado em um tanque de guerra não é igual ao trauma do civil palestino sendo bombardeado – o primeiro encobre os verdadeiros interesses da invasão do Líbano em 1982.

A questão, portanto, é que a própria totalidade "concreta" e psicologicamente realista que englobaria a realidade social, inclusive a experiência vivida pelos indivíduos que fazem parte dela, é, em sentido mais radical, *abstrata*: ela se abstrai da lacuna que separa o real de sua experiência subjetiva. E é crucial ver a ligação entre essa limitação formal (que permanece nos confins do realismo psicológico) e, no nível do conteúdo, a limitação política de Simon: seu horizonte continua sendo o horizonte da "fé nos indivíduos para que se rebelem contra os sistemas manipulados e se manifestem pela dignidade"; essa fé é um testemunho da fidelidade de Simon à ideologia dos Estados Unidos, à premissa básica que postula a qualidade perfeita do homem – em contaste com Brecht, por exemplo, cujo lema é "mudar o sistema, não os indivíduos": "O sr. Wirr considerava o ser humano sublime e os jornais incorrigíveis, ao passo que o sr. Keuner considerava o ser humano mesquinho e os jornais corrigíveis. 'Tudo pode se tornar melhor', dizia o sr. Keuner, 'menos o homem'"*. Essa tensão entre a instituição e a resistência do indivíduo limita o espaço político de *The Wire* ao modesto reformismo individualista social-democrata: os indivíduos podem tentar reformar o sistema, mas o sistema acaba vencendo. O que essa noção dos indivíduos que se rebelam contra as instituições não consegue apreender é como os próprios indivíduos perdem a inocência na luta contra as instituições – não tanto no sentido de que se corrompem e se sujam por aquilo pelo que lutam; a questão é que mesmo que continuem honestos e bons, dispostos a arriscar tudo, seus atos simplesmente se tornam irrelevantes ou ridiculamente falhos, dando um novo impulso à própria força a que se opõem. Com que essa resistência individual se parece em *The Wire*? Temos seu esquema básico logo na primeira cena: McNulty e o garoto negro (a testemunha) não comentam a morte de Meleca** como um coro grego?

* Bertolt Brecht, *Histórias do Sr. Keuner*, cit., p. 74. (N. T.)

** "Snot Boogie" no original. (N. T.)

McNulty: Como se chamava seu parceiro?
Garoto: Meleca.
McNulty: Meu Deus, Meleca! A mãe desse menino teve o trabalho de registrá-lo como Omar Isaiah Betts... Sabe, ele se esquece do casaco, por isso o nariz dele começa a escorrer e um idiota qualquer, em vez de arrumar um lenço, põe o apelido de "Meleca" nele. E aí fica "Meleca" para sempre. Não é justo.
Garoto: Quer saber? Toda sexta-feira à noite no beco atrás do clube, nós jogamos osso, sabe? Todo o pessoal da área, ficamos até tarde.
McNulty: Jogando dados no beco, não é?
Garoto: E o Meleca sempre dava umas sacaneadas, jogava até ganhar um monte. Roubava e caía fora.
McNulty: Sério, sempre?
Garoto: Ele não conseguia se controlar.
McNulty: Deixe ver se entendi. Toda sexta-feira à noite, você e os moleques jogavam dados, certo? E toda sexta-feira à noite, seu parceiro Meleca esperava até juntar um tanto de dinheiro, roubava e fugia? E vocês deixavam isso acontecer?
Garoto: A gente corria atrás dele, batia, mas ninguém fazia mais do que isso.
McNulty: Deixe eu perguntar uma coisa: se o Meleca sempre roubava o dinheiro das apostas e fugia, por que vocês o deixavam jogar?
Garoto: O quê?
McNulty: Se ele sempre roubava o dinheiro, por que vocês o deixavam jogar?
Garoto: A gente tinha de deixar. Isso é América, meu chapa.

Essa é a trágica visão de uma morte (e de uma vida) sem significado, redimida apenas pela resistência sem esperança – o lema ético subjacente é algo do tipo: "Resista, mesmo que saiba que vai perder no fim". Obviamente, Meleca é uma metáfora de Omar Little, personagem central que aparece depois (o nome de Meleca também é Omar): ele sempre apanha, mas continua fazendo até ser morto. Você não só vai perder, como sua morte será uma morte sem nome, como a de Omar Little no fim da última temporada: vemos o corpo dele no necrotério da cidade e tudo que o diferencia dos incontáveis corpos é uma etiqueta de identificação, uma etiqueta que havia sido colocada por engano em outro corpo. Seu assassinato ficará sem explicação, ele morre sem cerimônia, sem uma Antígona para exigir seu enterro. No entanto, o próprio anonimato da morte leva a situação da tragédia à comédia, uma comédia mais dura que a própria tragédia: a morte de Meleca não é tragédia pela mesma razão por que o Holocausto não foi tragédia. Por definição, tragédia é uma tragédia do caráter, o fracasso do herói funda-se em um deslize de caráter, mas é obsceno afirmar que o Holocausto foi resultado de uma falha de caráter dos judeus. A dimensão cômica também é assinalada pela completa arbitrariedade do nome: por que eu sou tal nome? Omar torna-se "Meleca" por razões arbitrárias e totalmente externas, não há um fundamento profundo para seu nome, da mesma maneira que em *Intriga inter-*

nacional, de Hitchcock, Roger O. Thornhill é, de maneira totalmente arbitrária, identificado (erroneamente) com "George Kaplan".

Mas Meleca, Omar, McNulty, Lester e outros continuam resistindo. Mais adiante, ainda na primeira temporada, McNulty pergunta a Lester por que ele arruinou sua carreira perseguindo o verdadeiro culpado (apesar de suas respeitadas ligações familiares), e Lester responde que o fez pelo mesmo motivo por que McNulty continua perseguindo a gangue Barksdale contra a vontade de seus superiores, que só querem algumas rápidas prisões nas ruas – não existe motivo, apenas a presença de uma espécie de motivação ética incondicional que une os membros do grupo conspirador. Não surpreende que a última cena da série repita a primeira: assim como Meleca ou Omar, McNulty (e outros) persistiram em seu erro beckettiano, mas dessa vez, além de apanhar, o perdedor realmente perde – eles perdem o emprego, sofrem uma morte profissional. As últimas palavras de McNulty são: "Vamos para casa" – para casa, isto é, para fora do espaço público.

The Wire costuma ser vista pela lente do *tópos* foucaultiano da relação entre poder e resistência, ou lei e transgressão: o processo da regulação submissa gera aquilo que "reprime" e regula. Recordemos aqui a tese que Foucault desenvolveu em *História da sexualidade** sobre o próprio discurso médico-pedagógico que disciplina a sexualidade produzir o excesso que ele tenta domar (o "sexo"), um processo que começou na Antiguidade tardia, quando as descrições detalhadas dos cristãos sobre todas as possíveis tentações sexuais geraram retroativamente o que combatiam. Portanto, a proliferação dos prazeres é o anverso do poder que os regula: o próprio poder gera resistência a ele, isto é, o excesso que ele não pode nunca controlar – as reações de um corpo sexualizado à sujeição às normas disciplinares são imprevisíveis. Foucault permanece ambíguo, muda a ênfase (às vezes de modo imperceptível) de *Vigiar e punir*** e do primeiro volume de *História da sexualidade* para o segundo e o terceiro volumes: embora, nos dois casos, poder e resistência sejam entrelaçados e sirvam de suporte um para o outro, ele enfatiza primeiro como a resistência é apropriada de antemão pelo poder, tanto que os mecanismos de poder dominam todo o campo e nós somos os sujeitos do poder exatamente quando resistimos a ele; em seguida, a ênfase muda para como o poder gera o excesso de resistência que ele não pode controlar – não manipulando a resistência para seu benefício, o poder torna-se incapaz de controlar seus próprios efeitos.

A única saída desse dilema é abandonar o paradigma da "resistência a um dispositivo": a ideia de que, enquanto um dispositivo determina a rede de atividade do Si, ele simultaneamente abre espaço para a "resistência" do sujeito, para a corrosão

* Trad. Maria Thereza C. Albuquerque e José Augusto G. Albuquerque, Rio de Janeiro, Graal, 2007-2010, 3 v. (N. E.)

** Trad. Raquel Ramalhete, Petrópolis, Vozes, 2010. (N. E.)

(parcial e marginal) e para o deslocamento do dispositivo. A tarefa da política emancipadora está alhures: não em elaborar uma proliferação de estratégias de como "resistir" ao dispositivo predominante a partir de posições subjetivas marginais, mas em pensar as modalidades de uma possível ruptura radical no próprio dispositivo predominante. Em todo o discurso sobre os "lugares de resistência", tendemos a esquecer que, por mais difícil que seja imaginar isso hoje, os mesmos dispositivos a que resistimos mudam de temos em tempos. É por isso que, de uma maneira profundamente hegeliana, Catherine Malabou[23] preconiza o abandono da posição *crítica* em relação à realidade como horizonte último do nosso pensamento, independentemente de que nome seja chamada, desde a jovem "crítica crítica" hegeliana à teoria crítica do século XX. Mas essa posição crítica não consegue cumprir o próprio gesto: radicalizar a atitude crítico-negativa subjetiva em relação à realidade em uma autonegação crítica ampla. Mesmo que o preço seja sermos acusados de "regressar" à velha posição hegeliana, deveríamos adotar a posição autenticamente hegeliana *absoluta* que, como aponta Malabou, envolve uma espécie de "rendição" especulativa do Si ao Absoluto, uma espécie de *absolvição*, de liberação do engajamento, embora de maneira dialética hegeliana: não a imersão do sujeito na unidade superior de um Absoluto oniabrangente, mas a inscrição da lacuna "crítica" que separa o sujeito da substância (social) contra a qual ele resiste, nessa mesma substância, como seu próprio antagonismo ou autodistância.

O recuo reflexivo na última cena de *The Wire* representa precisamente essa "rendição ao Absoluto". Em *The Wire*, esse gesto refere-se especificamente à relação entre a lei (o sistema legal) e suas violações: do "ponto de vista absoluto", está claro que o sistema (legal) não só tolera a ilegalidade como de fato a requer, posto que a ilegalidade é condição para que o sistema funcione. Do meu serviço militar (em 1975, no infame Exército Popular iugoslavo), lembro que, durante uma aula sobre direito e valores patrióticos, o oficial declarou solenemente que regulações internacionais proibiam atirar em um paraquedista enquanto ele ainda estivesse no ar; na aula seguinte, sobre como usar um rifle, o mesmo oficial nos explicou como mirar em um paraquedista no ar (como levar em consideração a velocidade da queda e assim mirar um pouco abaixo dele etc.). Ingenuamente, perguntei ao oficial se não havia uma contradição entre o que ele dizia agora e o que havia dito uma hora antes; ele simplesmente me lançou um olhar cheio de desprezo cujo significado era "como alguém pode ser tão estúpido a ponto de fazer essa pergunta". Em termos mais gerais, é sabido que a maioria dos Estados socialistas só funcionava por intermédio do mercado negro (que fornecia, entre outras coisas, 30% da

[23] Ver Judith Butler e Catherine Malabou, *Sois mon corps: une lecture contemporaine de la domination et de la servitude chez Hegel* (Paris, Bayard, 2010).

comida) – se as campanhas oficiais (regulares) tivessem tido êxito, o sistema teria entrado em colapso.

Voltando à série *The Wire*, o dilema crucial com respeito à relação entre a ordem legal e suas transgressões não é condição para o crime direto (tráfico de drogas): aqui, está claro que o sistema legal em si gera o crime que ele combate – muitos livros foram escritos sobre a interdependência entre o sistema legal e o tráfico de drogas. O dilema crucial é mais pérfido e perturbador: qual é o status da resistência (utópica) em *The Wire*? Seria ela também um momento da totalidade do sistema? Esse indivíduo que resiste, que se apega à dignidade em todas as suas diversas formas, desde Meleca e Omar até Freamon e McNulty, seria também apenas o anverso do sistema que, em última análise, sustenta-o? Se sim, então a resposta não é óbvia, embora seja estranha e nada intuitiva: a única maneira de fazer o sistema parar de funcionar é parar de resistir.

Talvez nesse momento uma mudança de direção possa nos ajudar a clarificar as coisas. Se existe uma antagonista de *The Wire*, essa antagonista é Ayn Rand. O verdadeiro conflito no universo de dois romances de Rand não é entre as máquinas motrizes e a multidão de indivíduos de "segunda mão" que parasitam o gênio produtivo dessas máquinas, sendo a tensão entre a máquina motriz e sua parceira sexual mera intriga secundária do conflito principal. O verdadeiro conflito acontece dentro das próprias máquinas motrizes: ele reside na tensão (sexualizada) entre a máquina motriz, o ser da pura pulsão, e sua parceira histérica, a máquina motriz potencial que continua presa na mortal dialética autodestrutiva (entre Roark e Dominique em *Vontade indômita* e entre John Galt e Dagny em *A revolta de Atlas*). Em *A revolta de Atlas*, quando um dos personagens (uma máquina motriz) diz a Dagny que quer continuar o trabalho incondicionalmente e manter a empresa transcontinental em funcionamento, que o verdadeiro inimigo da máquina motriz não é a multidão de indivíduos de "segunda mão", mas ela mesma, isso deve ser tomado ao pé da letra. A própria Dagny sabe disso: quando as máquinas motrizes começam a desaparecer da vida produtiva pública, ela suspeita de uma conspiração misteriosa, um "destruidor" que as força a recuar e, assim, levar gradualmente toda a vida social à inatividade; o que ela não vê, contudo, é que a figura do "destruidor" que ela identifica como o inimigo supremo é a figura de seu verdadeiro redentor. A solução ocorre quando o sujeito histérico finalmente se liberta da escravidão e se reconhece na figura do "destruidor", seu Salvador. Por quê? Os indivíduos de "segunda mão" não têm consistência ontológica própria, por isso a solução não é destruí-los, mas destruir a corrente que obriga as máquinas motrizes criativas a trabalhar para eles – quando a corrente é quebrada, o poder dos indivíduos de "segunda mão" acaba se extinguindo. A corrente que une uma máquina motriz à ordem pervertida existente é exatamente a ligação com seu gênio produtivo: uma máquina motriz está disposta a pagar qualquer preço, até a extrema humilhação de alimentar a própria força que trabalha contra ela, isto é, que parasita a atividade que em teoria ela se esforça para suprimir, simplesmente para poder continuar criando. O que a máquina motriz "histericizada" deve aceitar, portanto, é a indiferença existencial fundamental: ela não deve mais querer continuar refém da chantagem dos indivíduos de "segunda mão" ("Deixaremos que trabalhe e realize seu potencial criativo, desde que aceite nossos termos"), mas dispor-se a abrir mão da própria semente de seu ser, que significa tudo para ela, e aceitar o "fim do mundo", a (temporária) suspensão do próprio fluxo de energia que mantém o mundo em movimento. Para ganhar tudo, ela deve estar disposta a passar pelo ponto zero de perder tudo.

E, *mutatis mutandis*, o mesmo vale para *The Wire*: para passar do reformismo à mudança radical, devemos passar pelo ponto zero de nos abstermos da resistência que só mantém o sistema vivo – em um estranho tipo de libertação, devemos parar de nos preocupar com as preocupações dos outros e recuar para o papel de observador passivo da dança circular autodestrutiva do sistema. Ou, digamos, diante da atual crise financeira, que ameaça acabar com a estabilidade do euro e de outras moedas, deveríamos parar de nos preocupar em evitar o colapso financeiro ou manter as coisas em funcionamento. Lenin foi o modelo dessa atitude durante a Primeira Guerra Mundial: ignorando todas as preocupações "patriotas" com a pátria em perigo, ele observou friamente a mortal dança imperialista e estabeleceu as fundações para o futuro processo revolucionário – suas preocupações não eram as preocupações da maioria de seus compatriotas.

Como estava claro para Ayn Rand, se quisermos uma mudança real, nosso próprio interesse e preocupação são nosso principal inimigo. Em vez de lutar pequenas batalhas para vencer a inércia do sistema e fazer as coisas andarem melhor aqui e ali, devemos preparar o terreno para a grande batalha. O ponto de vista do Absoluto é simples de ser atingido, só precisamos recuar para a posição (em geral estetizada) da totalidade, como na popular canção "Circle of Life" [Ciclo da vida], de *O rei Leão* (letra de Tim Rice):

É o ciclo da vida
Que move a todos nós
Pelo desespero e pela esperança
Pela fé e pelo amor
Até que encontremos nosso lugar
No caminho que se estende
No ciclo
O ciclo da vida*

* "It's the Circle of Life/ And it moves us all/ Through despair and hope/ Through faith and love/ Till we find our place/ On the path unwinding/ In the Circle/ The Circle of Life." (N. E.)

São os leões que cantam essa música, é claro: a vida é um grande ciclo, nós comemos as zebras, as zebras comem a grama e então, depois que morremos e viramos pó e terra, nós alimentamos a grama e o ciclo se fecha... A melhor mensagem que se pode imaginar quando se está no topo. O que importa é a ênfase política que damos a essa "sabedoria": o simples recuo ou o recuo como fundamento de um ato radical. Isso quer dizer que, sim, a vida sempre forma um ciclo, mas o que pode ser feito (às vezes) não é apenas subir ou descer na hierarquia desse ciclo, mas mudar o próprio ciclo. Nesse caso, deveríamos seguir efetivamente Jesus Cristo: ele oferece o paradoxo do próprio Absoluto (Deus) que renuncia ao ponto de vista do Absoluto e adota uma posição radicalmente "crítica" de um agente finito engajado na luta. Essa posição é profundamente hegeliana, pois a principal tese de Hegel é exatamente a tese sobre o Absoluto, que é forte o suficiente para "finitizar" a si mesmo, para agir como sujeito finito.

Em outras palavras, o recuo reflexivo para o ponto de vista do absoluto não significa uma retirada para a inatividade, mas a abertura do espaço para a única mudança radical verdadeira. A questão não é lutar contra o destino (e assim ajudar sua realização, como os pais de Édipo e do servo de Bagdá que fugiu para Samara), mas mudar o próprio destino, mudar suas coordenadas básicas. Para mudar realmente as coisas, precisamos aceitar que nada pode ser realmente mudado (dentro do sistema existente). Jean-Luc Godard propôs o lema: "Ne change rien pour que tout soit différent" ("Não mude nada para que tudo seja diferente), uma inversão de: "Algumas coisas devem mudar para que tudo continue o mesmo". Em algumas constelações políticas – como a dinâmica capitalista recente, em que apenas a autorrevolução constante pode manter o sistema –, aqueles que se recusam a mudar alguma coisa são os agentes da verdadeira mudança: a mudança do próprio princípio da mudança.

Nisso reside a ambiguidade do fim de *The Wire*. Como devemos entendê-lo? Como uma sabedoria trágica e resignada ou como a abertura do espaço para um ato mais radical? Essa nódoa embaça a visão clara de *The Wire* como "o sonho marxista de uma série", como a qualificou um crítico simpatizante da esquerda. O próprio Simon é crítico nesse ponto: quando lhe perguntaram se era socialista, ele declarou que é um social-democrata que acredita que o capitalismo é a única opção e, como tal, não só inevitável, como também incomparável em seu poder de gerar riqueza: "você não está olhando para um marxista. [...] Acredito que [o capitalismo] é a única forma viável de gerar riqueza em larga escala". Mas a visão trágica de Simon não contradiz essa visão reformista social-democrata? Ele tem fé nos indivíduos rebeldes e

> ao mesmo tempo duvida que as instituições de uma oligarquia obcecada pelo capital reformem a si mesmas, salvo no caso de uma depressão econômica profunda (New

Deal, o aumento do dissídio coletivo) ou de uma falha moral sistêmica que, na verdade, ameace a vida da classe média (Vietnã e o resultante, apesar de um breve compromisso de repensar as pegadas de nossa brutal política internacional no mundo todo).*

Mas já não *estamos* nos aproximando de uma "depressão econômica profunda"? A perspectiva de uma depressão suscitará uma contrainstituição coletiva apropriada[24]? Qualquer que seja o resultado, uma coisa é clara: é o próprio pessimismo trágico de Simon que delineia o espaço para uma mudança mais radical – só quando aceitarmos que não há futuro (dentro do sistema) é que poderá surgir uma abertura para diferentes coisas por vir.

---

* Alberto Toscano e Jeff Kinkle, "Baltimore as World and Representation: Cognitive Mapping and Capitalism in *The Wire*". cit. (N. T.)

[24] Baseio-me aqui em Kieran Aarons e Gregoire Chamayou, no capítulo 3 de *The Wire: Reconstitution collective*, cit.

8
Para além da inveja e do ressentimento

O que é estranho na tentativa de Peter Sloterdijk de afirmar (como solução para o que somos tentados a chamar de "antinomias do Estado de bem-estar social") uma "ética do dom"[1], além da mera troca egoísta e possessiva de mercado, é aquilo que surpreendentemente nos aproxima da visão comunista. Sloterdijk é guiado pela lição elementar da dialética: às vezes, a oposição entre manter o antigo e mudar as coisas não abarca todo o campo, isto é, às vezes a única maneira de manter o que vale a pena ser mantido do antigo é intervir e mudar as coisas de maneira radical. Se hoje queremos salvar o cerne do Estado de bem-estar social, devemos abandonar qualquer nostalgia que exista em relação à democracia social do século XX. O que ele propõe é uma espécie de nova revolução cultural, um ajuste psicossocial radical baseado na ideia de que, hoje, as camadas produtivas exploradas não são mais a classe trabalhadora, mas a classe média (alta): esta sim é formada pelos "doadores", cujos altos impostos financiam a educação, a saúde etc. da maioria. Para realizar essa mudança, devemos deixar o estatismo para trás, esse resíduo absolutista que estranhamente sobrevive em nossa era democrática, essa ideia – surpreendentemente forte mesmo na esquerda tradicional – de que o Estado tem o direito inquestionável de tributar seus cidadãos, determinar e confiscar por meio da coerção legal (se necessário) parte de seu produto. Não que os cidadãos deem parte de sua renda para o Estado, eles são tratados como se tivessem, *a priori*, uma dívida com o Estado. Essa atitude é sustentada por uma premissa misantrópica que é mais forte na esquerda, já que esta prega a solidariedade: as pessoas são basicamente egoístas, têm de ser forçadas a contribuir com alguma coisa para o bem-estar comum, e somente o Estado, por meio de seu aparato coercitivo legal, pode cumprir a tarefa de garantir a solidariedade e a redistribuição necessária.

[1] Ver Peter Sloterdijk, *Repenser l'impôt* (Paris, Libella, 2012).

Segundo Sloterdijk, a maior causa dessa estranha perversão social é o desarranjo no equilíbrio entre eros e *thymos*, entre a pulsão erótica possessiva de juntar coisas e a pulsão (predominante nas sociedades pré-modernas) para o orgulho, para a generosidade e para o ato de ceder, o que suscita respeito. A maneira de restabelecer esse equilíbrio é dar pleno reconhecimento ao *thymos*: tratar os produtores de riqueza não como um grupo que, *a priori*, seja suspeito de se recusar a pagar o que deve à sociedade, mas como os verdadeiros doadores, cuja contribuição deveria ser plenamente reconhecida, de modo que possam se orgulhar da própria generosidade. O primeiro passo é a mudança do proletariado para o voluntariado: em vez de tributar demais os ricos, deveríamos dar a eles o direito (legal) de decidir voluntariamente que parte de sua riqueza doarão para o bem-estar comum. Para começar, deveríamos, é claro, não reduzir em excesso os impostos, mas abrir ao menos um pequeno espaço em que os doadores tenham a liberdade de decidir quanto e para que doarão. Esse começo, por mais modesto que seja, mudaria pouco a pouco a ética em que se baseia a coesão social. Não estaríamos presos aqui ao velho paradoxo de escolher livremente aquilo que somos obrigados a fazer? Ou seja, a liberdade de escolha concedida ao "voluntariado" dos "realizadores" não seria uma falsa liberdade baseada numa escolha forçada? Se a sociedade tem de funcionar normalmente, seriam os "realizadores" livres para escolher (dar ou não dar dinheiro para a sociedade) somente se fizerem a escolha certa (dar)?

Há uma série de problemas nessa ideia – e esses problemas não são aqueles identificados pelo (esperado) protesto da esquerda contra Sloterdijk. Em primeiro lugar, quem são os verdadeiros doadores (realizadores) em nossa sociedade? Não podemos esquecer que a crise financeira de 2008 foi causada pelos ricos doadores/realizadores e as "pessoas comuns" financiaram o Estado para socorrê-los. (Exemplar nesse sentido é Bernard Madoff, que roubou bilhões e depois bancou o doador dando milhões para a caridade etc.) Em segundo lugar, o enriquecimento não acontece em um espaço fora do Estado e da comunidade, mas é um processo (via de regra) violento de apropriação que põe seriamente em dúvida o direito do doador rico de possuir o que generosamente dá. Por último, mas não menos importante, a oposição de Sloterdijk do eros possessivo e do *thymos* doador é demasiado simplista: o autêntico amor erótico não seria uma doação em sua forma mais pura? (Recordemos aqui os famosos versos de Julieta: "Minha bondade e meu amor são como o mar, profundo e sem limites; quanto mais dou, mais tenho, pois que são infinitos".) E o *thymos* não é também destrutivo? Deveríamos ter sempre em mente que a inveja (ressentimento) é uma categoria do *thymos* que intervém no domínio do eros, distorcendo o egoísmo "normal", isto é, tornando aquilo que o outro tem (e eu não tenho) mais importante do que aquilo que eu tenho. Em termos mais gerais, a crítica básica a Sloterdijk deveria ser: por que ele afirma a generosidade somente dentro dos limites do capitalismo, que é *a* ordem do eros possessivo e da competição? Dentro desses limites, toda generosidade é reduzida *a priori* ao avesso da possessividade brutal: um bondoso doutor Jekyll do capitalista senhor Hyde. Lembremos aqui que o primeiro modelo de generosidade mencionado por Sloterdijk é Carnegie, o homem de aço com coração de ouro, como dizem: primeiro ele usou os detetives de Pinkerton e um exército particular para massacrar a resistência dos trabalhadores e depois se mostrou generoso devolvendo (em parte) o que ele (não criou, mas sim) roubou. Mesmo no caso de Bill Gates, como podemos esquecer a tática brutal de massacrar a concorrência para obter o monopólio? A pergunta crucial é: não há lugar para a generosidade fora do contexto capitalista? Não seria todo e qualquer projeto um caso de ideologia moralista sentimental?

Diz-se com frequência que a visão comunista se baseia na perigosa idealização dos seres humanos e atribuiu a eles um tipo de "bondade natural" que simplesmente é estranho à nossa natureza (egoísta etc.). No entanto, em seu *Motivação 3.0*[2], Daniel Pink refere-se a um corpo de pesquisa científica comportamental que sugere que algumas vezes, ao menos, incentivos externos (recompensas financeiras) podem ser contraproducentes: o desempenho ótimo surge quando as pessoas encontram um significado intrínseco em seu trabalho. Incentivos podem ser úteis para que as pessoas realizem um trabalho rotineiro e entediante, mas em tarefas mais exigentes em termos intelectuais o sucesso dos indivíduos e das organizações depende cada vez mais da agilidade e da inovação, por isso há uma necessidade cada vez maior de as pessoas encontrarem valor intrínseco no trabalho. Pink identifica três elementos subjacentes a essa motivação intrínseca: autonomia, isto é, habilidade para escolher quais tarefas serão realizadas e como; maestria, ou processo de especialização em uma atividade; e propósito, ou desejo de melhorar o mundo. Vejamos o relato de um estudo realizado no Instituto de Tecnologia de Massachusetts (MIT):

> Um grupo de estudantes recebeu uma série de desafios. Coisas como memorizar sequências numéricas, resolver quebra-cabeças com palavras ou outros tipos de quebra-cabeças espaciais e até tarefas físicas, como arremessar uma bola em uma cesta. Foram atribuídos três níveis de recompensa para incentivar o desempenho. Se executar a tarefa bem, você receberá uma pequena recompensa em dinheiro; se executar de maneira mediana, você receberá uma recompensa mediana; se executar muito bem, se for um dos melhores, você receberá um grande prêmio em dinheiro. [...] Eis o que se descobriu. Quando a tarefa envolvia apenas habilidades mecânicas, os bônus funcionavam como o esperado: quanto maior o prêmio, melhor o desempenho. Mas quando a tarefa exigia habilidades cognitivas rudimentares, uma recompensa maior levava a um desempenho pior. Como isso é possível? [...] Essa conclusão parece contrária ao que muitos de nós aprenderam em economia, que é quanto maior a recompensa, melhor o desempenho. O que eles estão dizendo é que, quando ultrapassamos as habilidades cognitivas rudimentares,

[2] Ver Daniel H. Pink, *Motivação 3.0* (trad. Bruno Alexander, São Paulo, Campus, 2010).

o que ocorre é o contrário. A ideia de que essas recompensas não funcionam daquela maneira parece vagamente esquerdista e socialista, não é mesmo? É um tipo estranho de conspiração socialista. Quero dizer aos que acreditam em teorias conspiratórias que quem financiou essa pesquisa foi um conhecido grupo de esquerda: o Federal Reserve Bank. [...] Talvez o prêmio de 50 ou 60 dólares não fosse motivador o suficiente para um estudante do MIT [...] então eles foram a Madurai, na área rural da Índia, onde 50 ou 60 dólares é uma quantia significativa. Eles reproduziram a experiência na Índia [...] e o que aconteceu foi que as pessoas a quem foi oferecida uma recompensa mediana não executaram melhor a tarefa do que as pessoas a quem foi oferecida a recompensa menor, mas dessa vez as pessoas a quem foi oferecida a recompensa maior foram pior do que todas. Incentivos maiores levaram a desempenho pior. [...] Essa experiência foi repetida outras e outras vezes por psicólogos, sociólogos e economistas. Para tarefas simples e diretas, esse tipo de incentivo funciona [...], mas quando a tarefa requer pensamento criativo e conceitual, foi demonstrado que esse tipo de motivador não funciona. [...] O melhor uso do dinheiro como motivador é pagar às pessoas o suficiente para que o dinheiro esteja fora de cogitação. Pague às pessoas o suficiente para que elas não pensem no dinheiro, mas sim no trabalho. [...] Você tem um bando de pessoas que fazem um trabalho altamente sofisticado, mas que adorariam trabalhar de graça e ser voluntárias durante vinte ou trinta horas por semana [...] e o que elas criam elas doam, em vez de vender. [...] Por que essas pessoas, muitas delas tecnicamente sofisticadas e altamente especializadas, estão fazendo um trabalho igualmente sofisticado, se não mais, não para seus empregadores, mas para outras pessoas, e de graça? Esse é um comportamento econômico estranho.*

Esse "comportamento estranho" é o comportamento de um comunista que segue o famoso lema de Marx: "De cada um segundo suas capacidades, a cada um segundo suas necessidades"** – *essa* é a única "ética do dom" que tem alguma dimensão utópica autêntica. O capitalismo "pós-moderno", obviamente, tem uma grande tendência a explorar esses elementos para sua própria lucratividade – isso sem mencionar o fato de que, por trás de cada companhia "pós-moderna" que concede espaço a seus funcionários para uma produção "criativa", há a exploração antiquada e anônima da classe trabalhadora. O ícone do capitalismo criativo hoje é a Apple, sustentada pelo "gênio" de Steve Jobs, mas o que seria da Apple sem a Foxconn, a empresa taiwanesa que controla grandes fábricas na China, onde centenas de milhares de pessoas montam iPads e iPods em condições abomináveis? Não devemos jamais nos esquecer do anverso do centro "criativo" pós-moderno no Vale do Silício, onde alguns milhares de pesquisadores testam novas ideias: alojamentos em estilo militar, na China, assolados por uma série de suicídios de trabalhadores,

* A transcrição da palestra citada por Žižek, em inglês, pode ser encontrada em: <http://dotsub.com/view/e1fddf77-5d1d-45b7-81be-5841ee5c386e/viewTranscript/eng>. (N. E.)

** Karl Marx, *Crítica do Programa de Gotha* (trad. Rubens Enderle, São Paulo, Boitempo, 2012), p. 32. (N. E.)

todos por consequência das condições estressantes de trabalho (longas jornadas, baixos salários, alta pressão). Depois que o 11º trabalhador saltou do alto do prédio, a empresa introduziu uma série de medidas: obrigar os funcionários a assinar contratos em que se comprometiam a não se matar, delatar colegas de trabalho que parecessem deprimidos, procurar instituições psiquiátricas em caso de prejuízo da saúde mental etc.[3] Para piorar ainda mais a situação, a Foxconn começou a colocar redes de proteção em volta de sua enorme fábrica. Não surpreende que Terry Gou, presidente da Hon Hain (empresa que controla a Foxconn), tenha se referido aos seus empregados como animais em uma festa de fim de ano, acrescentando que "gerenciar um milhão de animais me dá dor de cabeça". Gou ainda disse que queria saber de Chin Shih-chien, diretor do zoológico de Taipei, exatamente como os animais deveriam ser "getenciados"; ele convidou o diretor do zoológico para falar na reunião anual de revisão de Hon Hai, pedindo que todos os gerentes assistissem à palestra com atenção para aprender a gerenciar "os animais que trabalham pare eles"[4].

Mas independentemente de quais sejam os problemas desses experimentos, eles mostram que não existe nada de "natural" na competição capitalista e na maximização dos lucros: depois de atingir certo nível de satisfação das necessidades básicas de sobrevivência, as pessoas tendem a se comportar de uma maneira que só poderíamos chamar de comunista, contribuindo para a sociedade segundo suas habilidades, e não segundo a remuneração que ganham. E isso nos leva de volta a Sloterdijk, que saúda as doações dos capitalistas ricos como uma manifestação do "orgulho neoaristocrata" – mas que tal contrapor esse orgulho ao que Badiou chamou certa vez de "aristocratismo proletário"? É por isso que, no campo da literatura, são importantes os casos que lidam com aristocratas antiburgueses que acabam entendendo que a única maneira de manter vivo seu orgulho é unir-se ao outro lado, à verdadeira oposição ao modo burguês de vida. Surpreendentemente, talvez, até mesmo uma figura como Coriolano, de Shakespeare, pode ser reapropriada para a política emancipadora.

A propósito de Homero, Marx notou que "a dificuldade não está em compreender que as artes e o épico grego estão ligados a certas formas de desenvolvimento social. A dificuldade é que eles ainda nos proporcionam prazer artístico e, em certo sentido, valem como norma e modelo inalcançável"[5]. Para testar uma verdadeira obra de arte, basta perguntar como ela sobrevive à descontextualização, à trans-

---

[3] Ver "Foxconn ups anti-suicide drive", *Straits Times*, 27 maio 2010.

[4] Ver "Foxconn chief calls employees 'animals', has zoo director lecture managers". Disponível em: <http://www.examiner.com/technology-in-national/foxconn-chief-calls-employees-animals-has-zoo-director-lecture-managers>.

[5] Karl Marx, *Grundrisse* (trad. Mario Duayer et al., 1. reimp., São Paulo, Boitempo, 2011), p. 63.

posição para um novo contexto. Talvez a melhor maneira de definir um clássico seja dizendo que ele funciona como os olhos de Deus em um ícone ortodoxo: não importa nossa posição no recinto, a imagem sempre parece estar olhando para nós. Não surpreende que, até agora, a melhor adaptação cinematográfica de Dostoiévski seja *O idiota*, de Kurosawa, gravado no Japão depois da Segunda Guerra Mundial, que traz Myshkin como o soldado que volta para casa. A questão não é que estamos lidando com um conflito eterno que acontece em todas as sociedades, mas sim com um conflito muito mais preciso: em cada novo contexto, a obra clássica parece tratar da qualidade específica da época – é o que Hegel chamou de "universalidade concreta". Há uma longa história de transposições bem-sucedidas de Shakespeare – se mencionarmos apenas as adaptações cinematográficas mais recentes, temos: *Otelo* em um clube contemporâneo de jazz (*Noite insana*, de Basil Dearden, 1962), *Ricardo III* em uma fictícia Grã-Bretanha fascista da década de 1930 (Richard Loncraine, 1995), *Romeu e Julieta* em Venice Beach, Califórnia (Baz Luhrmann, 1996), *Hamlet* no centro de Nova York (Michael Almereyda, 2000).

Coriolano é um desafio especial a essa recontextualização: a peça é tão exclusivamente centrada no orgulho militarista-aristocrático do herói e em seu desprezo pelo povo que fica fácil entender que, depois da derrota alemã em 1945, as forças aliadas de ocupação tenham proibido sua representação por conta da mensagem antidemocrática que ela carrega. A peça parece oferecer uma escolha interpretativa bastante limitada por causa disso. Quer dizer, quais são as alternativas para apresentá-la tal como ela é, rendendo-se ao engodo militarista antidemocrático? Podemos tentar provocar o "estranhamento" sutil desse engodo por meio de uma excessiva estetização; podemos fazer o que Brecht fez ao reescrever a peça, mudar o foco de exibição das emoções (a fúria de Coriolano etc.) para o conflito subjacente dos interesses econômicos e políticos (na versão de Brecht, o povo e os tribunos não são movidos pelo medo e pela inveja, mas agem de maneira racional diante da situação); ou – e essa talvez seja a pior escolha – podemos nos ater a tolices pseudofreudianas sobre a fixação materna de Coriolano e a força homossexual de sua relação com Aufídio. Ralph Fiennes (e o roteirista John Logan) fez o impossível, talvez assim confirmando a famosa afirmação de T. S. Eliot de que *Coriolano* é superior a *Hamlet*: ele rompeu esse círculo fechado de opções de interpretação em que todos inserem um distanciamento crítico em relação à figura de Coriolano e *fez valer totalmente* o personagem, não como um fanático antidemocrata, mas como uma figura da esquerda radical.

O primeiro passo de Fiennes foi mudar as coordenadas geopolíticas de *Coriolano*: "Roma" agora é uma contemporânea cidade colonial em crise e decadente, e os "volscos", guerrilheiros de esquerda, organizaram o que chamamos hoje de "Estado pária" (como a Colômbia e as Farc, as Forças Armadas Revolucionárias da Colômbia, que controlam um vasto território ao sul do país, se as Farc não tivessem sido corrompidas pelo tráfico de drogas). Esse primeiro passo repercutiu em detalhes muito claros, como a decisão de apresentar uma linha divisória entre o território controlado pelo exército romano e o território rebelde, o ponto de contato entre os dois lados, como uma solitária rampa de acesso numa estrada, uma espécie de posto de controle dos guerrilheiros. (Aqui podemos soltar a imaginação: que tal explorar plenamente o fato fortuito de o filme ter sido gravado na Sérvia e de Belgrado ser "uma cidade que se denominava Roma" e imaginar os volscos como albaneses de Kosovo e Coriolano como um general sérvio que muda de lado e se junta aos albaneses?)

Poderíamos explorar aqui a feliz escolha de Gerard Butler para o papel de Aufídio, líder volsco e oponente de Caio Márcio (Coriolano): como o grande sucesso de Butler foi *Os 300 de Esparta*, de Zack Snyder, em que interpretou Leônidas, não deveríamos temer a hipótese de que, nos dois filmes, ele interpreta basicamente o mesmo papel de líder guerreiro de um Estado pária em combate contra um império poderoso. *Os 300* – saga dos trezentos soldados espartanos que se sacrificaram nas Termópilas para deter a invasão do exército persa de Xerxes – foi acusado de representar o pior tipo de militarismo patriota, com claras alusões às tensões recentes com o Irã e aos eventos no Iraque. Mas será que tudo é assim tão claro? O filme deveria ser antes integralmente redimido dessas acusações: ele conta a história de um país pequeno e pobre (Grécia), invadido pelo exército de um Estado muito maior (Pérsia) e, na época, muito mais desenvolvido, que tinha uma tecnologia militar muito mais avançada – não seriam os elefantes gigantes e as longas flechas de fogo dos persas uma versão antiga das armas de alta tecnologia? Quando o último grupo sobrevivente dos espartanos e o rei Leônidas são mortos por milhares de flechas, não estariam de certa forma sendo bombardeados por "tecnossoldados" que operam armas sofisticadas a uma distância segura, como os soldados norte-americanos de hoje, que apertam um botão e lançam foguetes de dentro dos navios de guerra, a uma distância bem segura no Golfo Pérsico?

Além disso, as palavras de Xerxes, quando tenta convencer Leônidas a aceitar a dominação persa, não soam claramente como as palavras de um muçulmano fanático e fundamentalista? (Ele tenta convencer Leônidas a se subjugar, prometendo-lhe paz e prazeres sensuais caso se una ao império persa global. Tudo que pede dele é o gesto formal de se ajoelhar, um gesto de reconhecimento da supremacia persa – se os espartanos fizessem isso, eles teriam autoridade suprema sobre toda a Grécia. O presidente Reagan não parece ter exigido a mesma coisa do governo sandinista da Nicarágua? Eles só tinham de dizer: "Ei, tio!" para os Estados Unidos... E a corte de Xerxes não é retratada como um paraíso multicultural de diferentes estilos de vida? Todos ali não participam das orgias – diferentes raças, lésbicas e gays, aleijados etc.? E os espartanos, com sua disciplina e seu espírito de sacrifício, não estariam muito mais próximos de algo como o Talibã, que defende o Afeganistão da ocupação dos Estados Unidos (ou, na verdade, da tropa de elite da Guarda Revolucionária iraniana, disposta a se sacrificar no caso de uma invasão dos Estados Unidos)? Historiadores perspicazes já haviam notado esse paralelo. Este é o texto da contracapa de *Fogo persa*, de Tom Holland:

> No século V a.C., uma superpotência mundial estava decidida a impor sua verdade e sua ordem a dois Estados considerados terroristas. A superpotência era a Pérsia, incomparavelmente rica em ambição, ouro e homens. Os Estados terroristas eram Atenas e Esparta, cidades excêntricas, localizadas em um lugar pobre, montanhoso e atrasado: a Grécia.[6]

Uma declaração programática quase no fim do filme define a agenda da Grécia como "contra o reino da mística e da tirania, rumo a um futuro brilhante", especificada depois como o domínio da liberdade e da razão – o que se parece com o programa básico do Iluminismo, embora com uma pitada comunista! Também devemos lembrar que, no início do filme, Leônidas rejeita a mensagem dos "oráculos" corruptos, segundo os quais os deuses proibiram a expedição militar para deter os persas – como descobrimos depois, os "oráculos" que supostamente receberam a mensagem divina em transe extático foram pagos pelos persas (como o "oráculo" tibetano que, em 1959, enviou ao Dalai Lama uma mensagem para que deixasse o Tibete; hoje sabemos que ele estava na folha de pagamentos da CIA).

E o que dizer do aparente absurdo da ideia de dignidade, liberdade e razão sustentada pela disciplina militar extrema, que inclui a prática de não aceitar crianças fracas? Esse "absurdo" é simplesmente o preço da liberdade – a liberdade não é gratuita, como diz o filme. A liberdade não é dada, é reconquistada com luta dura, na qual é preciso estar disposto a arriscar tudo. A implacável disciplina militar espartana não é apenas o oposto externo da "democracia liberal" ateniense, mas sua condição inerente, ela funda suas bases: o sujeito livre da razão só pode surgir por meio de uma autodisciplina implacável. A verdadeira liberdade não é a liberdade de escolha feita a uma distância segura, como escolher entre bolo de morango e bolo de chocolate; a verdadeira liberdade se sobrepõe à necessidade, e uma escolha verdadeiramente livre é feita quando põe em jogo a própria existência do sujeito que escolhe – ela é feita simplesmente porque "não se pode fazer de outro modo". Quando um país está sob ocupação estrangeira e alguém é chamado pelo líder da resistência a se juntar à luta contra os ocupantes, a razão que ele dá não é "Você é livre para escolher", mas "Você não vê que essa é a única coisa que pode fazer, se quiser manter a dignidade?". Não nos surpreende que os primeiros radicais igualitários modernos, de Rousseau aos jacobinos, admirassem Esparta e imaginassem a França republicana como uma nova Esparta: há um núcleo emancipador no es-

[6] Tom Holland, *Persian Fire* (Nova York, Doubleday, 2006) [ed. bras.: *Fogo persa: o primeiro império mundial*, trad. Luiz Antonio Aguiar, Rio de Janeiro, Record, 2008].

pírito espartano da disciplina militar que sobrevive até mesmo quando subtraímos toda a parafernália histórica do domínio de classes de Esparta, a exploração e o terror sobre os escravos etc. Também não nos surpreende que nos anos difíceis do "comunismo de guerra" Trotsky chamasse a União Soviética de "Esparta proletária".

Soldados não são maus *per se* – maus são os soldados inspirados por *poetas*, soldados mobilizados pela poesia nacional. Não existe limpeza étnica sem poesia. Por quê? Porque vivemos em uma era que percebe a si própria como pós-ideológica. Como grandes causas públicas já não têm mais força para mobilizar o povo para a violência de massa, é necessária uma Causa sagrada mais ampla, uma causa que faz as insignificantes preocupações individuais com a matança parecerem triviais. O pertencimento religioso ou étnico encaixa-se perfeitamente nesse papel. É claro que há casos de ateus patológicos capazes de cometer assassinatos em massa só por prazer, mas eles são exceções raras: a maioria precisa se anestesiar contra a sensibilidade elementar ao sofrimento alheio e, para isso, é necessária uma Causa sagrada. Os ideólogos religiosos costumam afirmar que, verdadeira ou não, a religião leva pessoas em geral ruins a fazer coisas boas; pela experiência atual, deveríamos antes nos ater à afirmação de Steve Weinberg de que, sem religião, pessoas boas fazem coisas boas e pessoas ruins fazem coisas ruins e só a religião pode levar pessoas boas a fazer coisas ruins.

A reputação de Platão sofre por causa da afirmação de que os poetas deviam ser expulsos da cidade – um conselho bastante sensível, se considerarmos a experiência pós-Iugoslávia, em que a limpeza étnica foi preparada pelos sonhos perigosos dos poetas. Sim, é verdade que Milošević "manipulou" as paixões nacionalistas, mas foram os poetas que lhe forneceram o material que serviu para a manipulação. Eles – os poetas sinceros, não os políticos corruptos – deram origem a tudo isso quando, nos idos da década de 1970 e início da década de 1980, começaram a lançar as sementes do nacionalismo agressivo não só na Sérvia, mas também em outras repúblicas da antiga Iugoslávia. Em vez de um complexo industrial-militar, nós tivemos na pós-Iugoslávia, um *complexo poético-militar*, personificado pelas figuras gêmeas de Radovan Karadžič e Ratko Mladič. Na *Fenomenologia do espírito**, Hegel menciona a "silente tecedura do espírito": o trabalho secreto de mudança das coordenadas ideológicas, predominantemente invisíveis aos olhos do povo, que explodem de repente e pegam todos de surpresa. Foi isso que aconteceu na antiga Iugoslávia nas décadas de 1970 e 1980, tanto que já era tarde demais quando as coisas explodiram no fim da década de 1980: o velho consenso ideológico estava totalmente podre, em ruínas. A Iugoslávia nas décadas de 1970 e 1980 era como o famoso gato dos desenhos animados, citado anteriormente, que continua andando depois de ultrapassar a beira do precipício e só cai quando olha para baixo e perce-

* 4. ed., Petrópolis/Bragança Paulista, Vozes/Ed. Universitária São Francisco, 2007. (N. E.)

be que não há chão sob seus pés. Milošević foi o primeiro a nos forçar a olhar de fato para o precipício...

E para evitar a ilusão de que o complexo poético-militar é especialidade dos Bálcãs, devemos citar ao menos Hassan Ngeze, o Karadžič de Ruanda, que espalhava sistematicamente o ódio contra os tútsis em seu jornal, o *Kangura*. Há quase um século, referindo-se ao advento nazista na Alemanha, Karl Kraus ironizou o fato de que a Alemanha, um país de *Dichter und Denker* (poetas e pensadores), tornara-se um país de *Richter und Henker* (juízes e algozes) – talvez essa inversão não nos surpreenda tanto... Isso nos traz de volta a *Coriolano* – quem é o poeta nele? Antes de Caio Márcio (Coriolano) entrar no palco, é Menênio Agripa que acalma a multidão faminta e furiosa que exige trigo. Assim como Ulisses em *Troilo e Créssida*, Menênio é o ideólogo *par excellence*, aquele que propõe uma metáfora poética para justificar a hierarquia social (nesse caso, o domínio do Senado); e, na melhor tradição corporativista, a metáfora é a do corpo humano. É assim que, em *Vida de Coriolano*, Plutarco conta a história narrada pela primeira vez por Lívio:

> Certa vez, os órgãos de um homem se revoltaram contra o estômago, acusando-o de ser o único preguiçoso, de não colaborar em nada, enquanto todos os outros passavam por adversidades e trabalhavam para suprir e atender a seus apetites. O estômago, contudo, apenas ridicularizava a tolice de todos, que pareciam não saber que ele certamente recebia seu sustento, mas tinha como única função devolvê-lo e distribuí-lo a todo o resto. O mesmo acontece com os cidadãos e o Senado. Os planos e os desígnios que foram devidamente digeridos lá transmitem e garantem a todos vocês o benefício e o apoio apropriados.[7]

Qual é a ligação de Coriolano com essa metáfora do corpo e dos órgãos, da rebelião dos órgãos contra o corpo? Está claro que Coriolano não representa o corpo, mas é um órgão que não só se rebela contra o corpo (o corpo político de Roma), como também abandona seu próprio corpo ao ir para o exílio – um verdadeiro *órgão sem corpo*. Isso significa que Coriolano está contra o povo? *Que* povo? Os "plebeus" representados pelos dois tribunos, Bruto e Sicínio, não são trabalhadores explorados, mas uma horda lumpemproletária, a ralé sustentada pelo Estado; e os dois tribunos são manipuladores protofascistas dessa horda – para citar Kane (cidadão do filme de Orson Welles), eles falam pelo povo comum *para que o pobre povo comum não fale por si mesmo*. Se procurarmos pelo "povo", nós certamente o encontraremos entre os volscos. Vejamos como Fiennes retrata a capital deles: uma cidade popular e modesta, localizada em um território liberado, onde Aufídio e seus companheiros vestidos com uniforme de guerrilha (não o uniforme oficial do Exército) misturam-se livremente ao povo em um clima de tranquila festividade,

---

[7] Plutarco, *Lives of Illustrious Men* (Bedford, Clarke and Company, 1887), p. 350.

as pessoas se sentam em cafeterias ao ar livre etc. – um nítido contraste com a formalidade excessiva de Roma.

Então, sim, Coriolano é uma máquina de matar, um "soldado perfeito" e, exatamente por ser um "órgão sem corpo", não é fiel à sua classe e pode facilmente se colocar a serviço dos oprimidos. E, como ficou claro com Che Guevara, um revolucionário também tem de ser uma "máquina de matar":

> o ódio é um elemento de luta; o ódio implacável ao inimigo que nos impele para além das limitações naturais do ser humano e nos transforma em uma efetiva, violenta, fria e seletiva máquina de matar. Nossos soldados têm de ser assim; um povo sem ódio não pode derrotar um inimigo brutal.[8]

Há duas cenas no filme que dão uma pista para essa leitura. Depois de ter um violento acesso no Senado, Coriolano atravessa um amplo vestíbulo, fecha a porta e vê-se sozinho no silêncio de um longo corredor, diante de um faxineiro velho e cansado; eles trocam olhares em um momento de silenciosa solidariedade, como se apenas o pobre faxineiro conseguisse ver quem era Coriolano. A outra cena é uma longa apresentação de sua viagem para o exílio, feita em tom de *road movie*: ela mostra Coriolano como um viajante solitário que caminha, anônimo, no meio do povo. É como se Coriolano, obviamente fora do lugar na delicada hierarquia de Roma, só então se tornasse o que é, só então ganhasse sua liberdade – e a única coisa que pode fazer para mantê-la é se unir aos volscos. Mas ele não se une aos volscos só para se vingar de Roma, e sim porque pertence a eles – só entre os lutadores volscos ele pode ser o que é. O orgulho de Coriolano é autêntico, acompanhado da relutância de ser louvado por seus compatriotas e de se envolver em manobras políticas – um orgulho desse tipo não tem espaço em Roma, só pode prosperar entre os guerrilheiros.

Ao se juntar aos volscos, Coriolano não trai Roma por um sentimento de mesquinha vingança, o que faz é reconquistar sua integridade – seu único ato de traição ocorre no fim, quando, em vez de guiar o exército volsco até Roma, promove um tratado de paz entre os volscos e Roma, cedendo à pressão de sua mãe, a verdadeira figura do superego mau. É por essa razão que ele volta para os volscos, plenamente ciente do que o espera: a punição bem merecida por sua traição. E é por isso que o *Coriolano* de Fiennes parece o olho de Deus dos ícones ortodoxos: sem mudar uma palavra sequer da peça de Shakespeare, ele olha exclusivamente para nós, para a situação em que nos encontramos hoje, resumindo a figura única de um lutador pela liberdade radical.

---

[8] Che Guevara, *Guerilla Warfare* (Lincoln, University of Nebraska Press, 1998), p. 173.

Conclusão
Sinais do futuro

Então onde estamos agora, em 2012? O ano de 2011 foi aquele em que sonhamos perigosamente, o ano do ressurgimento da política emancipatória radical em todo o mundo. Um ano depois, cada dia traz novas demonstrações de como o despertar foi frágil e inconsistente, com todas as suas diversas facetas exibindo os mesmos sinais de exaustão: o entusiasmo da Primavera Árabe está atolado em compromissos e no fundamentalismo religioso; o Occupy Wall Street perdeu a energia a tal ponto que, em um belo exemplo da "astúcia da razão", a limpeza feita pela polícia no Zuccotti Park e em outros lugares onde houve protestos parece uma bênção disfarçada, que encobre a perda imanente de energia. E o mesmo acontece em todo o mundo: os maoistas no Nepal parecem ter sido vencidos pelas forças reacionárias monárquicas; a revolução "bolivariana" da Venezuela experimenta um retrocesso cada vez maior rumo a um populismo de caudilho... O que devemos fazer nesses momentos de depressão, quando os sonhos parecem se desfazer? Será que a única escolha que temos é a recordação narcisista e nostálgica de momentos sublimes e entusiastas ou a explicação cinicamente realista do motivo por que as tentativas de realmente mudar a situação tiveram de fracassar?

A primeira coisa a dizer é que o trabalho subterrâneo do descontentamento está em andamento: a fúria está crescendo e haverá uma nova onda de revoltas. De que maneira devemos ler os sinais dessa fúria? Em *Passagens*, Walter Benjamin cita o historiador francês André Monglond: "O passado deixou imagens de si nos textos literários, imagens comparáveis a imagens impressas pela luz em uma placa fotossensível. Somente o futuro possui reveladores ativos o suficiente para explorar essas superfícies perfeitamente"[1]. Eventos como os protestos do movimento

---

[1] Walter Benjamin, *The Arcades Project* (Cambridge, Belknap Press, 1999), p. 482 [ed. bras.: *Passagens*, trad. Cleonice Paes Barreto e Irene Aron, Belo Horizonte/São Paulo, UFMG/Imprensa Oficial, 2009].

Occupy Wall Street, a Primavera Árabe, as manifestações na Grécia e na Espanha etc. devem ser lidos como sinais do futuro. Em outras palavras, deveríamos inverter a perspectiva histórica usual de entender um evento fora de seu contexto e gênese. A explosão emancipatória radical não pode ser entendida dessa maneira: em vez de analisar os eventos como parte de um contínuo de passado e presente, deveríamos buscar a perspectiva do futuro, isto é, deveríamos analisá-los como fragmentos limitados e distorcidos (às vezes até pervertidos) de um futuro utópico que está inativo no presente como potencial oculto. Segundo Deleuze, em Proust "as pessoas e as coisas ocupam no tempo um lugar que não se compara com o que têm no espaço"[2]: a famosa *madeleine* está no lugar certo, mas aquele não é seu verdadeiro momento[3]. De maneira semelhante, deveríamos aprender a arte de reconhecer, a partir de uma posição subjetiva engajada, os elementos que estão aqui, no nosso espaço, mas cujo momento é o futuro emancipado, o futuro da ideia comunista.

Contudo, apesar de termos de aprender a observar os sinais do futuro, também devemos estar cientes de que o que fazemos agora só se tornará legível quando o futuro chegar, portanto não devemos depositar esperanças demais em uma busca desesperada dos "germes do comunismo" na sociedade de hoje. Devemos lutar por um equilíbrio delicado entre ler sinais do futuro (comunista hipotético) e manter a abertura radical para o futuro: a abertura, sozinha, leva a um niilismo decisionista que nos força a saltar no vazio, ao passo que a plena confiança nos sinais do futuro pode sucumbir ao planejamento determinista (sabemos com o que o futuro deveria se parecer e, de um ponto de vista metalinguístico, de certa maneira livre da história, simplesmente temos de representá-lo). No entanto, o equilíbrio pelo qual devemos lutar não tem nada a ver com uma sábia "via intermediária" que evita os extremos ("conhecemos, em um sentido geral, a forma do futuro para o qual nos movemos, mas deveríamos ao mesmo tempo continuar abertos às contingências imprevisíveis"). Uma referência a Kant, bem como à noção protestante de predestinação (noção teológica que chega bem perto do materialismo histórico, como observou certa vez Fredric Jameson). Os sinais do futuro não são constitutivos, mas sim reguladores no sentido kantiano; seu status é subjetivamente mediado, isto é, não são discerníveis de nenhum estudo neutro e "objetivo" da história, mas apenas de uma posição engajada – segui-los continua sendo uma aposta existencial no sen-

---

[2] Gilles Deleuze, *Cinema II: a imagem-tempo* (trad. Stella Senra, São Paulo, Brasiliense, 1990), p. 53.

[3] Com todo o respeito pela genialidade de Marcel Proust, quando lemos a respeito de seu estilo de vida – passava a maior parte do dia em um quarto meio escuro, dormia demais, dependia da criada – é difícil resistir ao prazer de imaginá-lo condenado a viver o regime dos trabalhadores em um campo de reeducação durante um ano ou mais, onde ele seria obrigado a acordar às cinco da manhã, tomar banho frio e, depois de um café da manhã escasso, trabalhar o resto do dia escavando e transportando terra, para depois ter as noites preenchidas pelo canto de canções políticas e pela escrita de confissões...

tido pascaliano. É como a teoria jansenista dos milagres: estes não são intervenções divinas cujo intuito é converter os não crentes; ao contrário, um evento só parece um milagre para o crente, enquanto para os observadores externos é um curioso evento natural. O mesmo vale para a predestinação, que não é apenas um destino decidido de antemão: a predestinação sempre "terá sido", isto é, nós escolhemos nosso destino, decidindo retroativamente ler assim o que foi até agora (vivenciado como) a série contingente de ocorrências. O que subjaz a esses paradoxos é a estrutura circular que pode ser mais bem exemplificada por uma história de ficção científica: um crítico de arte que vive duzentos anos depois de nossa época, quando já é possível viajar no tempo, é tão fascinado pelas obras de um pintor nova-iorquino de nossa época que viaja no tempo para encontrá-lo; ele descobre que o pintor é um bêbado imprestável que acaba roubando a máquina do tempo e foge para o futuro; sozinho na época atual, o crítico de arte pinta todos os quadros que o fascinaram no futuro e o fizeram viajar para o passado. De maneira homóloga, os sinais comunistas do futuro são sinais de um futuro possível que só se tornará atual se seguirmos esses sinais – em outras palavras, são sinais que paradoxalmente precedem aqueles de que são sinais.

Talvez devêssemos inverter a crítica usual sobre aquilo que queremos e aquilo que não queremos: basicamente, o que queremos (a longo prazo, ao menos) está claro; mas sabemos de fato o que não queremos, isto é, o que estamos prontos a renunciar de nossas presentes "liberdades"? Ou, voltando à piada de *Ninotchka*: queremos café, mas o queremos sem leite ou sem creme (sem Estado, sem propriedade privada etc.)? É nesse ponto que devemos permanecer resolutamente hegelianos: a abertura de Hegel em relação ao futuro é uma abertura *negativa*, articulada em suas afirmações negativas/limitadoras, como a famosa afirmação de que o sujeito "não pode saltar além de seu tempo", encontrada na *Filosofia do direito**. A impossibilidade de nos apropriarmos diretamente do futuro é fundamentada no próprio fato da retroatividade, que torna o futuro *a priori* imprevisível: não podemos subir em nossos próprios ombros e ver a nós mesmos "objetivamente", da maneira como entramos na tessitura da história, porque essa tessitura é repetida e retroativamente rearranjada. No campo teológico, Karl Barth ampliou essa imprevisibilidade até o Juízo Final, enfatizando que a revelação final de Deus será totalmente incomparável a nossas expectativas:

> Deus não está oculto de nós, está revelado. Mas o que e como deveríamos ser em Cristo, e o que e como o mundo será em Cristo no fim do caminho de Deus, na irrupção da redenção e da conclusão, é que não nos é revelado; isso está oculto. Sejamos honestos: não sabemos o que estamos dizendo quando falamos da volta de Cristo no julgamento,

* Trad. Agemir Bavaresco et al., São Paulo, Loyola, 2010. (N. E.)

da ressurreição dos mortos, da vida e da morte eternas. Que tudo isso estará associado a uma revelação pungente – uma visão em comparação à qual toda a nossa visão presente terá sido cegueira – é testificado demais nas Escrituras para sentirmos o dever de nos preparar. Pois não sabemos o que será revelado quando a última venda for retirada de nossos olhos, de todos os olhos: como contemplaremos uns aos outros e o que seremos uns para os outros – a humanidade de hoje e a humanidade de séculos e milênios atrás, ancestrais e descendentes, maridos e esposas, sábios e tolos, opressores e oprimidos, traidores e traídos, assassinos e vítimas, Ocidente e Oriente, alemães e outros, cristãos, judeus e pagãos, ortodoxos e hereges, católicos e protestantes, luteranos e reformados; sob que divisões e uniões, que confrontos e conexões cruzadas os lacres de todos os livros serão abertos; quanta coisa nos parecerá pequena e desimportante, quanta coisa só então parecerá grande e importante; para que surpresas de todos os tipos devemos nos preparar.

Também não sabemos o que a Natureza, enquanto cosmos no qual vivíamos e ainda vivemos aqui e agora, será para nós; o que as constelações, o mar, os amplos vales e colinas, que hoje vemos e conhecemos, dirão e significarão.[4]

Por essa observação, torna-se claro como é falso, como é "demasiado humano", o medo de que os culpados não sejam punidos de maneira apropriada – aqui, em especial, temos de abandonar nossas expectativas: "A estranha cristandade, cuja preocupação mais urgente parece ser que um dia a graça de Deus se mostre demasiada irrestrita entre os vivos, que o inferno, em vez de povoado por tantas pessoas, mostre-se vazio!"[5]. E a mesma incerteza é válida para a própria Igreja – ela não possui nenhum conhecimento superior, é como um carteiro que entrega a correspondência sem ter ideia do que ela diz:

A Igreja transmite da mesma maneira que um carteiro entrega uma correspondência; não se pergunta à Igreja o que ela pensa estar desencadeando com isso, ou como ela interpreta a mensagem. Quanto menos interpretar e quanto menos marcas dos próprios dedos deixar, tanto mais a passará simplesmente como a recebeu – e melhor será.[6]

Não é surpresa que Hegel tenha formulado essa mesma limitação a propósito da política: especialmente, como comunistas, devemos nos abster de qualquer imaginação positiva da futura sociedade comunista. Recordemos aqui as palavras céticas de Cristo contra os profetas da discórdia em Marcos 13,21-3: "Então, se alguém vos disser 'Eis o Messias aqui!' ou 'Ei-lo ali!', não creiais. Hão de surgir falsos Messias e falsos profetas, os quais apresentarão sinais e prodígios para enganar, se possível, os eleitos. Quanto a vós, porém, ficai atentos"[7]. Fiquem atentos aos sinais

[4] Karl Barth, *God Here and Now* (Nova York, Routledge, 2003), p. 45-6.

[5] Ibidem, p. 42.

[6] Ibidem, p. 49.

[7] Também traduzido como: "Vós, pois, estai de sobreaviso".

do Apocalipse, tendo em mente o sentido amplo deste termo grego: *apokálypsis* ("levantar o véu" ou "revelação") é o desvelar de algo escondido da maioria da humanidade em uma era dominada pela falsidade e pela mentira. Por causa dessa heterogeneidade radical do novo, sua chegada tem de causar terror e confusão – recordemos aqui o famoso lema de Heinser Müller: "A primeira aparição do novo é o assombro". Ou, como disse Sêneca há quase 2 mil anos: "*Et ipse miror vixque iam facto malo/ potuisse fieri credo*" (Embora o mal já tenha sido feito, ainda achamos difícil acreditar que ele seja possível)[8]. É assim que reagimos ao mal radical: ele é real, mas ainda o vemos como impossível. E o mesmo não seria válido para tudo que é realmente novo?

E o que dizer dos sinais apocalípticos que ouvimos, sobretudo depois que acontece uma catástrofe? Aqui, o maior paradoxo é que o próprio catastrofismo excessivo (o mantra "o fim do mundo está próximo") é uma defesa, uma forma de ocultar os verdadeiros perigos e não levá-los a sério. É por essa razão que a única resposta apropriada a um ambientalista que tenta nos convencer da ameaça iminente é que o verdadeiro alvo dessa argumentação desesperada é *sua própria* não crença – consequentemente, nossa resposta deveria ser algo do tipo: "Não se preocupe, a catástrofe acontecerá com certeza!"... E a catástrofe *está* chegando, o impossível está acontecendo em toda a parte – mas devemos observá-lo pacientemente, não devemos nos prender a extrapolações precipitadas, não devemos nos entregar ao prazer propriamente perverso do: "É isso! O momento terrível chegou!". Na ecologia, essa fascinação apocalíptica surge de diversas maneiras: o aquecimento global arrasará todos nós em algumas décadas; as abelhas vão desaparecer em pouco tempo e haverá uma fome inimaginável... Devemos levar todas essas ameaças a sério, mas não nos deixemos seduzir por elas nem desfrutemos do falso senso de culpa e justiça ("Nós ofendemos a Mãe Natureza, agora temos o que merecemos!"). Ao contrário, devemos manter a mente aberta e "vigiar":

> Atenção, e vigiai, pois não sabeis quando será o momento. Será como um homem que partiu de viagem: deixou sua casa, deu autoridade a seus servos, distribuiu a cada um sua responsabilidade e ao porteiro ordenou que vigiasse. Vigia, portanto, porque não sabeis quando o senhor da casa voltará: à tarde, à meia-noite, ao canto do galo, ou de manhã, para que, vindo de repente não vos encontre dormindo. E o que vos digo, digo a todos: vigiai![9]

---

[8] Sêneca, *Medeia*, versos 883-4.

[9] Marcos 13,33-7.

OWS Blank

Índice onomástico

Principais obras de Slavoj Žižek

The Year of Dreaming Dangerously. Londres/Nova York, Verso, 2012. [Ed.bras.: *O ano em que sonhamos perigosamente*. São Paulo, Boitempo, 2012.]

Less Than Nothing: Hegel and the Shadow of Dialectical Materialism. Londres/Nova York, Verso, 2012. [Ed. bras.: *Menos que nada: Hegel e a sombra do materialismo dialético*. São Paulo, Boitempo, no prelo.]

Living in the End Times. Londres/Nova York, Verso, 2010. [Ed. bras.: *Vivendo no fim dos tempos*. São Paulo, Boitempo, 2012.]

First as Tragedy, then as Farce. Londres/Nova York, Verso, 2009. [Ed. bras.: *Primeiro como tragédia, depois como farsa*. São Paulo, Boitempo, 2011.]

Violence. Londres, Profile, 2008.

In Defense of Lost Causes. Londres/Nova York, Verso, 2008. [Ed. bras.: *Em defesa de causas perdidas*. São Paulo, Boitempo, 2011.]

Universal Exception. Londres, Continuum International Publishing Group, 2007.

Lacan: The Silent Partners. Londres/Nova York, Verso, 2006.

The Neighbor: Three Inquiries in Political Theology. Chicago, University of Chicago Press, 2006.

The Parallax View. Cambridge, The MIT Press, 2006. [Ed. bras.: *A visão em paralaxe*. São Paulo, Boitempo, 2008.]

Lacrimae rerum. Paris, Éditions Amsterdam, 2005. [Ed. bras.: *Lacrimae rerum*. São Paulo, Boitempo, 2009.]

Iraq: The Borrowed Kettle. Londres/Nova York, Verso, 2005.

The Politics of Aesthetics: The Distribution of the Sensible (com Jacques Rancière). Londres, Continuum International Publishing Group, 2004.

Organs without Bodies: On Deleuze and Consequences. Londres, Routledge, 2003.

The Puppet and the Dwarf: The Perverse Core of Christianity. Cambridge, The MIT Press, 2003.

Welcome to the Desert of the Real: Five Essays on September 11 and Related Dates. Londres/Nova York, Verso, 2002. [Ed. bras.: *Bem-vindo ao Deserto do Real!* São Paulo, Boitempo, 2003.]

Opera's Second Death. Londres, Routledge, 2001.

The Fright of Real Tears: Krzystof Kieslowski between Theory and Post-theory. Londres, British Film Institute, 2001.

On Belief. Londres, Routledge, 2001.

Did Someone Say Totalitarianism?: Four Interventions in the Misuse of a Notion. Londres/Nova York, Verso, 2001. [Ed. bras.: *Alguém disse totalitarismo?* São Paulo, Boitempo, no prelo.]

The Art of the Ridiculous Sublime: On David Lynch's Lost Highway. Washington, University of Washington Press, 2000.

The Fragile Absolute: Or, Why the Christian Legacy is Worth Fighting For? Londres/Nova York, Verso, 2000.

The Ticklish Subject: The Absent Centre of Political Ontology. Londres/Nova York, Verso, 1999.

The Plague of Fantasies. Londres/Nova York, Verso, 1997.

The Indivisible Remainder: An Essay On Schelling And Related Matters. Londres/Nova York, Verso, 1996.

The Metastases of Enjoyment: Six Essays on Woman and Causality. Londres/Nova York, Verso, 1994.

Tarrying with the Negative: Kant, Hegel, and the Critique of Ideology (Post-Contemporary Interventions). Durham, Duke University Press, 1993.

Everything You Always Wanted to Know About Lacan (But Were Afraid to Ask Hitchcock). Londres/Nova York, Verso, 1992.

Enjoy Your Symptom! Jacques Lacan In Hollywood And Out. Londres, Routledge, 1992.

For They Know Not What They Do: Enjoyment As a Political Factor. Londres/Nova York, Verso, 1991.

Looking Awry: An Introduction to Jacques Lacan through Popular Culture. Cambridge, The MIT Press, 1991.

The Sublime Object of Ideology. Londres/Nova York, Verso, 1989. [Ed. bras.: *Eles não sabem o que fazem: o sublime objeto da ideologia.* Rio de Janeiro, Zahar, 1992.]

OUTROS LANÇAMENTOS DA BOITEMPO EDITORIAL

10 anos de governos pós-neoliberais no Brasil: Lula e Dilma
Emir Sader (org.)
Orelha de **Maria Inês Nassif**

Alguém disse totalitarismo?
Slavoj Žižek
Tradução de **Rogério Bettoni**

Bazar da dívida externa brasileira
Rabah Benakouche
Orelha de **Tania Bacelar de Araujo**
Quarta capa de **Carlos Eduardo Martins**

Cypherpunks
Julian Assange et al.
Tradução de **Cristina Yamagami**
Apresentação de **Natalia Viana**
Orelha de **Pablo Ortellado**

Estado e forma política
Alysson Leandro Mascaro
Quarta capa de **Slavoj Žižek**

Garibaldi na América do Sul
Gianni Carta
Tradução de **Flávio Aguiar e Magda Lopes**
Prefácio de **Luiz Gonzaga de Mello Belluzo**
Orelha de **Nirlando Beirão**

György Lukács e a emancipação humana
Marcos Del Roio (org.)
Orelha de **Angélica Lovatto**

O homem que amava os cachorros
Leonardo Padura
Tradução de **Helena Pitta**
Prefácio de **Gilberto Maringoni**
Orelha de **Frei Betto**

Os limites do capital
David Harvey
Tradução de **Magda Lopes**
Revisão técnica de **Rubens Enderle**
Orelha de **Leda Paulani**
Quarta capa de **Fredric Jameson**

Menos que nada
Slavoj Žižek
Tradução de **Rogério Bettoni**

Mídia, poder e contrapoder
Dênis de Moraes (org.)
Prefácio de **Raquel Paiva**
Orelha de **Milton Temer**

Para entender O Capital 1
David Harvey
Tradução de **Rubens Enderle**
Orelha de **Marcio Pochmann**

Para uma ontologia do ser social II
György Lukács
Tradução de **Ivo Tonet, Nélio Schneider e Ronaldo Vielmi Fortes**
Revisão técnica de **Ronaldo Vielmi Fortes**
Orelha de **Ricardo Antunes**
Prefácio de **Guido Oldrini**

COLEÇÃO TINTA VERMELHA

Cidades rebeldes
David Harvey, Ermínia Maricato et al.
Prefácio de **Raquel Rolnik**
Quarta capa de **Paulo Eduardo Arantes e Roberto Schwarz**

📖 COLEÇÃO MARX/ENGELS

O capital, Livro I
Karl Marx
Tradução de **Rubens Enderle**
Textos introdutórios de **Jacob Gorender, José Arthur Giannotti** e **Louis Althusser**
Orelha de **Francisco de Oliveira**

Lutas de classes na Rússia
Karl Marx e Friedrich Engels
Tradução de **Nélio Schneider**
Organização de **Michael Löwy**
Orelha de **Milton Pinheiro**

📖 COLEÇÃO ESTADO DE SÍTIO
Coordenação de Paulo Arantes

Até o último homem
Felipe Brito e Pedro Rocha de Oliveira (orgs.)
Orelha de **Adriana Facina**

Opus Dei: arqueologia do ofício (Homo sacer, II, 5)
Giorgio Agamben
Tradução de **Daniel Arruda Nascimento**

Poder e desaparecimento
Pilar Calveiro
Tradução de **Fernando Correa Prado**
Apresentação de **Janaína de Almeida Teles**
Orelha de **Maria Helena Rolim Capelato**

Rituais de sofrimento
Silvia Viana
Orelha de **Gabriel Cohn**

📖 COLEÇÃO MARXISMO E LITERATURA
Coordenação de Leandro Konder

O capitalismo como religião
Walter Benjamin
Organização de **Michael Löwy**
Tradução de **Nélio Schneider**
Orelha de **Maria Rita Kehl**
Quarta capa de **Jeanne Gagnebin**

Marx, manual de instruções
Daniel Bensaïd
Tradução de **Nair Fonseca**
Ilustrações de **Charb**
Orelha de **Marcelo Ridenti**

📖 COLEÇÃO MUNDO DO TRABALHO
Coordenação de Ricardo Antunes

O conceito de dialética em Lukács
István Mészáros
Tradução de **Rogério Bettoni**
Prefácio de **José Paulo Netto**
Orelha de **Ester Vaisman**

Riqueza e miséria do trabalho no Brasil II
Ricardo Antunes (org.)
Orelha de **Plínio de Arruda Sampaio**

Publicado um ano depois da eclosão de movimentos como o Occupy Wall Street e a Primavera Árabe, este livro foi composto em Adobe Garamond Pro, 11/13,2, e reimpresso em papel norbrite 66,6 g/m² na Edições Loyola para a Boitempo Editorial, em março de 2014, com tiragem de 2.000 exemplares.